国家出版基金项目
NATIONAL PUBLICATION FOUNDATION

《三联经典文库》

第二辑

2012年国家出版基金项目

三联经典文库

149

中国财政之病态及其批判

孙怀仁　著

生活·讀書·新知 三联书店

图书在版编目(CIP)数据

中国财政之病态及其批判 / 孙怀仁著. -- 北京：生活·读书·新知三联书店, 2014.1
（三联经典文库第二辑）
ISBN 978-7-108-04667-3

Ⅰ. ①中… Ⅱ. ①孙… Ⅲ. ①财政史－研究－中国－民国 Ⅳ. ①F812.96

中国版本图书馆CIP数据核字(2013)第247399号

149 中国财政之病态及其批判

责任编辑　邵慧敏
封扉设计　蔡立国
责任印制　常宁强
出版发行　生活·讀書·新知 三联书店
（北京市东城区美术馆东街22号）
邮　　编　100010
经　　销　新华书店
印　　刷　北京鹏润伟业印刷有限公司
版　　次　2014年1月北京第1版　2014年1月北京第1次印刷
开　　本　787毫米×1092毫米 1/32　印张 6.125
字　　数　83千字
定　　价　22.00元

《三联经典文库》出版缘起

适逢生活·读书·新知三联书店八十华诞，为弘扬传统，接续文脉，回报读者，服务社会，我们决定策划出版《三联经典文库》。

1932 年 7 月，生活书店在上海创办，此后，读书出版社和新知书店相继成立。本文库第一辑、第二辑所选图书，来自于这三家出版单位及其分支机构，以及 1948 年生活·读书·新知三联书店成立后的出版物，始于 1932 年，截至 1951 年，两辑各一百种。此为第二辑，涉及政治、经济、社会、军事、思想文化诸领域，涵盖专著、文集、散文、小说、诗歌、传记、报道等体裁，既有直面现实、追求真理、讴歌真善美、抨击假恶丑的原创作品，又有引介世界各国先进文化、传播新知、开启民智的迻译之作，真实记录了那一代知识分子的思考与探索、理想与愿景和对中华民族文化传承与创新所做出的努力与贡献。

本文库所辑入各书，多为名家名作，在版本方面，以初版一印本或经著译编者审定、修订、增订过的版本为首选，因此本文库又具有较为珍贵的版本价值和收藏价值。

本文库还将编选续辑，使之成为恢弘文化工程。诚挚希望读者给予批评和指正，帮助我们完善编选工作，再现三联经典作品之风采。殊为遗憾的是，由于年代久远，一些原著译编者及其后人未能取得联系并奉付稿酬，诚盼版权所有者与我们联系。祈愿三联前辈所创造的精神财富能薪火相传，为中华文化的伟大复兴增光添彩。

《三联经典文库》编辑委员会

2013 年 8 月

凡　例

一、本文库为重排本，由繁体字竖排版改为简体字横排版。

一、以忠实于原作、整旧如旧为编辑原则，对当时使用的专有名词、外文译名，以及民国时期的语言和特色予以保留。

一、原书注释如旧，编者所出的注释，均以“编者注”标明，以示与原书注释的区别。

一、对原书残缺或字迹漫漶之处，以□示代。

一、对繁简文本转换时的“如右”、“见左”一类，对应改为“如上（前）”、“见下（后）”。

一、对原书中各种错讹脱衍之处，直接订正，不再以其他符号标示。

一、对数字、标点符号的用法，在不损害原文语义的情况下，做必要的规范。

一、本文库各书均前插原书书影、原书版权页和文库版“本书出版说明”。

一、本书出版说明的撰写，以客观中立为原则，扼要介绍本书的内容、版本流转、著译编者的情况。

本书出版说明

本书分“上编 中央财政”和“下编 地方财政”两部分，对上世纪二三十年代中国财政存在的诸多问题加以揭示并分析。在上编中，作者梳理并剖析了1927-1936年间中国财政改革计划、实施情况及其效果，财政膨胀的情势以及原因，关盐统三税增征的实质，内、外债的泛滥，以及以军债费为中心的支出倾向，最终指出中央财政病态之所在；在下编中，作者对混乱而黑暗的地方财政进行纵断（财政膨胀）和横断（经费分配）的分析，通过列举大量材料说明了地方财政的贫乏、苛捐杂税的繁重以及公债发行的缺陷。《最近中国财政之分析》，是作者发表于《申报》的一篇论文，作为“附录”，对全书予以补充。本书引用了大量统计数据，使内容更加客观翔实。

本书由上海生活书店于1937年2月初版，此次出版即以此为底本。

孙怀仁（1909-1992），浙江杭州人。1928年到日本留学，学习政治经济学；1932年毕业后回国，进上海《申报》馆《申报》年鉴社任经济部分主编。曾任暨南大学商学院教授、英士大学教授、法学院院长。1950年任上海财经学院教授。1978年后，任上海社会科学院副院长、经济研究所所长、名誉所长。还先后任上海市经济学会会长、名誉会长，上海市企业管理协会副会长等。著有《资本与剩余价值》、《资本的循环与周转》、《社会主义再生产》等，主编有《上海社会主义经济建设发展简史》。曾主持《中国工业管理讲义》、《简明工业经济辞典》等书，以及《辞海》部门经济学部分的编撰工作。

生活·读书·新知三联书店

2013年8月

生活书店 1937 年 2 月初版书影

中國財政之病態及其批判

每冊實價肆角正
外埠酌加寄費

著者 孫懷仁
發行者 生活書店 上海福州路第三八四號
印刷者 生活印刷所

中華民國二十六年二月初版

原书版权页

目次

序　言

在去年年末，有一次的宴会上，几个朋友大家谈起了中国经济问题。当时我说我打算写一本书，叫做《中国经济十年记》，把最近十年来的中国经济，赤裸裸的解剖一下。其时在座的金仲华先生听了非常赞同，怂恿我快些写，同时，毕云程先生还答应可以拿到生活书店去出版。

事后，我与仲华碰到，或是通电话的时候，他几次都很关切的问我："那本书已动手写了没有？"我每经问一次，总兴奋一下。但因人事的关系，终不能很迅速的一下子脱稿，只能陆续一点一点的写，至今，这本书还不能如愿的全部写起来。

今年这一年中，我遭遇到最惨痛的，就是三月间儿子澄渊的死。这一件事在一般达观的人，或者可以不以为意，但我却无此克服感情的能力，至今在脑筋中，犹复时常泛起澄渊的笑影与其死时惨白的脸。每一念及，精神上辄为之不快。因此，自三月以后，假若不是有些杂志的编者叫我写稿子，或是为着经济关系，而必须写些短篇稿子出卖的话，我简直懒于执笔。这种现象，我自知是一时精神上的变态，将来自会逐渐过去的，但《中国经济十年记》这本书，要在今年全部写成，总是不可能的了。

目前，那本书虽尚未全部写好，但有一二章却已经脱稿了。这本小册子，就是那已经写好了的第二章。这一章，因为写作的时间较长，所以分量上也就比较的多了一些，而与其他几章几乎是不能调和了；所以先把它拿来付印，而加上一个“中国财政之病态与其批判”的标题。这一章的能够单独先行印行，我应该特别感谢一个朋友，是张仲实先生。他对于这本小册子，自原稿之指正以至于印刷的一切，都费了很多的心。

本书中最后的一章附录，是我最近在《申报》上所发表过的一篇论文，因为它在性质上，或足以补本书之不足，因此就附收于此了。

最后，我对于这小册子，不想说什么客气话。有人读了觉得不满意的，竟不妨大骂；有认为满意的，就请你读完了点一点头就是了。

著者识一九三六年

上编　中央财政

第一章　有声无形之中国财政改革

一国国民经济的是否健全，不仅可以由一切私经济的活动与消长上观察出来，而在公经济的财政上，更可以毫无隐讳的反映出来。

在十年以前的中国财政，我们已经无须乎在此旧事重提；大概可以说无人不知其为腐败与混乱。然而，此种不良之财政现象，在最近十年之中，是否可以说已完全消灭了呢？这一点，在稍稍明了中国财政实况的人，大概都无此勇气来承认已完全消灭罢。

从民国十六年到今年廿五年的十年中，财政部长已六易其人，在任时间，虽有久暂，但要皆有各自财政整理之计划；而改革财政之会议，亦已再三召集。但计划是计划，议决是议决，至今竟能见诸于真正实行者，殆如凤毛麟角。

十年来之重要财政改革计划一览

第一次全国财政会议决议之计划[1]	训政时期财政设施纲领[2]	五中全会统一财政建议[3]	编遣会议中统一财政办法提案[4]	第二次全国财政会议决议之计划[5]
（A）财政政策 1. 划分国地收支 2. 统一财务行政 3. 更新税制 4. 整理国债 5. 厘定军费 6. 厉行预算 （B）经济政策（共六项从略）	1. 划分国地收支 2. 统一财务行政 3. 改定财政组织 4. 编订财政法规 5. 整理旧办各税 6. 推行新办各税 7. 厘定军事各费 8. 厘定政事各费 9. 厉行预算决算 10. 监督地方财政 11. 改订币制方针 12. 确定银行制度 13. 整理内外债务 14. 保持金库独立 15. 养成财政人才 16. 举办财政统计	1. 划分国地收支 2. 税章用人行政收支四项应由部主办 3. 设立预算委员会先定收数次为支配	1. 地方不得分拨或附加中央税收 2. 地方不得干涉中央用人之权 3. 铁路津贴各军之款应归财部 4. 军费中应包括省防军 5. 军费之支配及拨付应明定办法	1. 轻赋恤农 2. 废除苛捐杂税 3. 改善税制 4. 确定地方预算 5. 注意生产建设 6. 实行财政内外相维补助地方支出

上表中所列者，仅为十年来比较重要一点的财政改革计划，这二三十点改革，果能条条办到，那么，中国

[1] 见《全国财政会议汇编》。

[2] 见财政部《财政月刊》；贾士毅著:《民国续财政史》，第一编，三三六——三四八页。

[3] 见贾士毅著：前揭书，三四八——三五八页。

[4] 见《全国编遣会议报告书》。

[5] 见廿三年四月二十日至二十八日《申报》及《民国廿一及廿二年度财政报告》。

财政不待说已早就比较的上了轨道，而事实之所昭示于我们的，只是“议而不行，行而不力”，甚至议了便就忘记。从第一次财政会议（民国十七年）到今日，已有九个年头；训政时期财政设施纲领，原定至十九年度止全部完成，现在距此预定期，已过了六年；就从第二次全国财政会议以后，也已经过了二年余。在这几年中，政府在财政的改革上，除掉划分了一下国地收支；颁布了若干种财政法规；加高了一些原有的租税税率；创设了一种营业税；召集了一次五省裁厘会议（十八年），改废厘金为特种消费税，这消费税中，糖类、织物及出厂税（出厂税以后改名为统税）归中央；油、茶、纸、箔、海味、木植、磁陶、牲畜、药材、漆、皮毛、大宗矿产物、茧、丝、黄豆、棉花归地方[1]；成立了表面上的预决算；新设几个财务行政机关；整理了两次公债以外，其他的改革计划，至今依然还是原封不动的计划。换言之，十年以来，财政改革的计划虽多，所实行者尚不过一部分。具体点说，十年来财政改进中之牢牢大事，即如次：（关于租税之变动，见第三节）

[1] 见贾士毅著：《民国续财政史》，第二编，四九〇——四九四页。

十六年　六月成立《十六年年度预算编案例言》十一条。

七月财部公布《会计则例》三十八条。

十月国府公布《财政监理委员会组织条例》，成立监理委员会。

十七年　改监理会为预算委员会。

颁布《修正国家地方划分收入标准案》及《修正国家地方支出标准案》。

颁布《审计法》及《审计法施行细则》。

召集全国财政会议。

十八年　改预算委员会为财政委员会，公布《各机关十七年度岁出预算一览表》。

召集五省裁厘会议，办特种消费税。

十九年　颁布《试办预算章程》。

二十年　四月成立主计处，直属国民政府，办理预算。

十一月颁布《预算章程》及《办理预算收支分类标准》，成立二十年度预算。

廿一年　公债第一次整理。

六月三十日颁布廿一年度十三类假预算。

整理盐务机关。

廿二年　颁布《中央各机关经营收支款项由国库统一处理办法》，代替《会计则例》。

十一月公布二十年度会计总报告。 四月五日中政会通过成立惩治贪污专庭。

廿四年　立法院通过《财政收支系统法》。

改革币制。

廿五年　公债第二次整理。

三月十日行政院通令所属施行十项澄清贪污令。

财政机关组织变更。

从这简略的几条事情看来，似乎确已很有改革，但我们必须认识，这些改革毕竟只是皮毛的枝节的变动而已。最主要的，如军费之改革计划，新税（直接税）创设的计划，减轻人民负担的计划，在这十年之中，依然一无实行，每次计划中，每次会议中，每次建议中，每次提案中，没有一次不是说得非常动听，无如事实上，却只是“但闻楼梯响，不见人下来”。这一点，正给予了今日中国财政以一重莫大之阻碍。就如前面那些明文的改革，实质上也往往非属名实相符。譬如预算虽有严密法规之规定，但若廿一年度假预算的颁布“并未经行政院核定，亦未经立法院核定，有法而不遵守，是徒法不能以实行也”[1]。事实上，预算章程颁布以后，除二十年度有整个预算外，廿一廿二两年度，预算即并未完全成立，就是二十年度之预算，其内容亦未尽翔实[2]。又譬如法律规定中央各机关收支，应由国库统一处理，而事实上，铁道部交通部及军需署，即并不统一，而由主计处特派会计长驻在而已。再如审计制度，虽已经确立，但事实上，因年来预算，但为表面之数字，经费调度，端赖财政部长，财政部长不签字，审计处核准也拿不到钱，于是政客官僚，但知奔走于财政部长之门，而审计则形同虚设[3]。又如财政管理上的不廉洁，廿二年虽有惩治专庭之设立，但到三年以后的廿五年，又来十项命令，这又不正明白的证明了三年中贪污依然毫无改

[1] 见胡善恒著:《财务行政论》，四三页。

[2] 参照《财政年鉴》第一篇，二七页。

[3] 参照胡氏前揭书，二二七页。

善吗[1]？以事实来讲，堂堂的税务署中，竟有月薪百二十元的小职员邓某，吞蚀税款达八万元之巨（见廿三年一月十九日《大公报》）。再如国地收支的划分，十七年已明文公布，但边远省份，至今依然尚未完全划清，国库部分与省库部分，淆混难分。中国财政改革的没有真实性，在这里已明白的显露了出来，同时，也正反映出了中国经济不健全的一面。

[1] 参照崔敬伯：《内外交乘之财政管理问题》（廿五年四月一日《大公报》）。

第二章　十年来财政膨胀之趋势

中国财政的困难，虽不始自今日，但困难的程度，却无有甚于今日。十年以来，财政制度既无所改善，而财政实际，更是每况愈下。开源既无从开，节流亦不能节，借债度日，已成为了中国理财之一贯政策。民国以前，以借外债为主，民国成立后的十五年中，则内外债兼筹并借，最近十年以来，则专求之于内债，以为弥补。

民国十六年度以降岁计之变化[1]

	岁出	岁入	
		经常收入	公债及借款收入[2]
民国十六年度	151,037,578.50	147,928,743.50	12,208,835.00
民国十七年度	434,440,712.92	343,296,477.82	100,144,245.10
民国十八年度	539,005,919.25	438,063,208.83	100,942,710.42
民国十九年度	714,468,144.15	497,753,803.34	216,714,340.81
民国二十年度	682,990,864.15	552,978,394.46	130,014,469.69
民国廿一年度	671,924,755.91	579,307,213.69	112,617,542.22
民国廿二年度	828,711,688.16	648,752,366.00[3]	179,959,332.16
民国廿三年度	918,111,034.00	729,845,500.00	188,265,534.00[4]
民国廿四年度	957,154,006.00	770,321,643.00	186,832,363.00[5]
民国廿五年度	990,658,450.00	768,982,339.00	221,676,111.00[6]

[1] 民国十六年度为十六年六月二日至十七年五月底止之实数，原列为148,256,001元及1,854,385两，兹以1.5元合1两之比率，改算为上数（原表见贾士毅:《民国续财政史》，第一编，一三九——一四三页）。民国十七年度至民国廿二年度为逐年之财政报告数（十七年度报告见卫挺生著:《中国今日之财政》附录；十八年度见《时事年刊》一九三〇——三一；十九及二十年度见《银行周报》十七卷一期；廿一及廿二年度见廿四年五月十日《申报》)。民国廿三年度至廿五年度为预算数。

[2] 公债及借款收入为每年之净额，即自发行总数中减偿债外所余之额。全部发行数，尚不止此。

[3] 该数中包含有前年度结存数27,093,398.86元，实际税收净额为621,658,957.14元（疑为621,658,967.14元。——编者注）。

[4][5][6] 系合预算中“债款收入”及“其他收入”二项而成。“其他收入”一项内容如何，不得而知，有人以为是指禁烟收入而言，但其为非正当的经常收入，则无疑。兹为便利计，列入此处。

在这个财政膨胀的趋势之中，我们应该注意三点：第一，是膨胀率的过大，廿五年度的预算，现在已达十万万元，这是一个空前的大数目，我们把它与十六年度的数字比较，已经增加了八亿四千余万元，即五倍以上，就与十七年度比较，亦已增加了五亿五千余万元即一倍以上。这样的大增加，不特在中国历史上为破天荒，就与最近十年世界各国财政膨胀趋势相比，亦属罕有其匹。第二，岁出的膨胀率大致与经常岁入之膨胀率平行。

十年来财政膨胀之指数[1]（民国十七年度为基期[2]）

	岁出指数	税收指数
民国十七年度	100	100
十八年度	124	128
十九年度	165	145
二十年度	157	161
廿一年度	155	169
廿二年度	191	181[3]
廿三年度	212	213
廿四年度	221	245
廿五年度	234	224

[1] 本表以前表为根据算出。计算时以百万元为单位，指数下小数四舍五入。

[2] 十六年度时正值政府草创，岁计不足为凭，故本表以十七年度为100。

[3] 据税收净额算出。

这一平行的事实，正反映出了十年来政府对于收入也如何努力，但十年以来，利民的新税，一无成就（详见后），这是周知的事实，因此，这岁入的膨胀，大致都仅就变更旧税税率，与虚列国有财产及营业收入而形成。历来旧税，大部分为负担不公平的间接日用品消费税，这种消费税愈增加，也就表示了人民对于财政的负担，愈不公平。第三，这十年来中国财政的膨胀，决不是因物价腾贵而引起之“名目的膨胀”，而是由于军务费等递增之“实质的膨胀”。这一点从物价指数的变动上，可以明白的立证。

各地物价指数之变动[1]

	十七年	十八年	十九年	二十年	廿一年	廿二年	廿三年	廿四年
南京	——	——	100.0	106.1	100.8	92.2	80.6	*80.4
上海	101.7	104.5	114.8	126.7	112.4	103.8	97.1	*96.1
汉口	——	——	100.0	114.5	112.4	95.9	89.0	89.3
华北	107.98	111.08	115.84	122.55	113.36	101.04	91.78	95.42
青岛	——	——	100.0	107.6	103.6	94.9	86.9	89.4
广州	96.8	96.7	101.4	112.6	113.0	102.6	94.28	84.63

[1] 南京，汉口，青岛以十九年为基期；上海，华北，广州以十五年为基期。
* 为十二个月平均数。

换言之，在物价的变动上，都是表示着了一直线的下落倾向，而与财政指数一直线的向上，正成为了完全的相反。这样，不但说明了这十年来财政膨胀与物价毫无关系，确证了财政膨胀的原因不由于物价腾贵，同时，还表示了这财政实际的膨胀程度，实远超出于表面上的膨胀。

这样一种急激膨胀的岁出，虽然一方面有岁入在表面上平行的增加，但财政的危机却始终未曾减轻。很明白的，岁出与税收平行膨胀的结果，当然十年以前的财政危机，也就继续着平行的展开，而且在事实上，这岁出与税收的所谓平行增加，是指相对数的比率而言，至于两者相差的绝对数字，可以说是依然甚巨。中央财政支出，在今年二月以前，每月不敷达二千四百万元，年计为二万八千八百万元。二月以后，公债整理结果（见第四节），每月不敷为二千万元，但年额仍须二万四千万元。[1] 十年来的短绌数，有如次表（单位百万元）：

[1] 见廿五年四月一日天津《大公报》。

	岁出	岁入（除借款）	短绌数
十六年度	151	148	3
十七年度	434	343	91
十八年度	539	438	101
十九年度	714	498	216
二十年度	683	553	130
廿一年度	672	579	93
廿二年度	829	622	206
廿三年度	918	729	189
廿四年度	957	770	187
廿五年度	991	769	222

廿五年度中的赤字，几已达三亿元。这个巨大的数目，相当于同年税收之半额，换一句话说，一年的支出，就得要一年半的税收才得维持。我们合计十年来的岁出总计，已达六十九亿元，岁入总计为五十四亿五千万元，两抵已短绌了十四亿五千万元。这笔短绌的数目，照廿四年度预算中的最高岁收额计算，约须两年的岁收才得弥补，若以十年来的平均岁收年额五亿四千万元计算，则约须三年的岁收可以弥补，而事实上，年年短绌，年年发债，不足之上，又须加以利息的负担。这十年来的财政支出，最少总已用去了十三年的收入，这是一个如何重大的危机呢！

第三章　财政膨胀与增税

中国财政上膨胀趋势之巨大，已如前所述。然则，这个庞大预算是如何敷衍过去的呢？这不必说是靠“借债”与“增税”。

关于借债的情形，我们在下节中叙述，在这里，先检讨一下增税。

中国的现行税制，在其实质上言，并不曾比较十年以前为进步。统税虽为近十年中所新创的税，但内容仍不过是混合北京政府时代的杂税而成。至于关盐两税，向为中国财政收入上之命脉，而为各种国债之担保品，在这十年之中，其在财政上之重要性，并不亚于十年以前。关盐统三税，在目前形成为是鼎足而三的三大财源，所谓增税，主要的也就是就此三税而增征。另一方面，一切近代化的直接税（如所得税遗产税等），创办的呼声，虽已久嚣尘上，但实则距离实行之期，恐怕还很遥远罢。廿四廿五两年度的预算中，都列有所得税五百万元，但此所得税，诚不知其从何处征来？要不过是一种预算上“以壮观瞻”的粉饰而已。本来，直接税是由有产者所负担的，在目前中国财政不能脱出有产者们的掌握中时，这种税自然是不易一蹴而就罢。

目前中国的岁入中，关盐统三税，殆占八〇%左右，其情形有如次列[1]：（单位百万元）

	岁入总数	关税		盐税		统税		关盐统三税合计	
		数额	占收入之百分比	数额	占收入之百分比	数额	占收入之百分比	数额	占收入之百分比
十六年度	151	12[2]	7.9	20	13.2	——	——	32	21.1
十七年度	434	179	41.2	93	6.8	——	——	272	48.0
十八年度	539	276	51.1	122	22.7	——	——	398	78.9
十九年度	714	313	43.8	150	21.1	53	7.5	516	72.4
二十年度	682	370	54.1	144	31.1	89	133.0	599	88.2
廿一年度	671	328	48.6	158	23.5	80	11.9	564	84.0
廿二年度	801	352	43.9	177	22.1	105	13.1	634	79.1
廿三年度	918	383	41.7	190	20.7	117	12.7	690	75.1
廿四年度	957	341	35.6	184	19.2	113	11.8	638	66.6
廿五年度	1,016	318	31.3	189	18.6	233	22.9	790	72.8

[1] 廿二年度前据财政报告，以后为预算数。（表中个别数据疑有误，此次出版保持原貌。——编者注）

[2] 本项为关税及内地税与二五附税相加而成，原列数为关税及内地税9,739,321元，二五附税为433,080元1,662,006两。

由上表而观，可知关盐统税在中国财政上是如何的占有重要的位置了。十六年度时，因政府初创，税权尚未全部获得，因此大部分岁入皆赖债券收入，其后各年，财政对于三税的依存性，也就与日俱增了。其中以二十及廿一年度所占百分比为最高，这因为这两年正值国难初起，岁入总额减少，因此相对数的百分比反形增高了。事实上，历年三税平均，约占总岁入八〇%左右，那是无疑的。在这十年的推移之中，我们还可以注意三点：第一，就是这几年来，国难虽是日深，而关盐统三税却是与年俱增，其原因何在？第二，关税之增加率不若盐税，盐税又不若统税，这是为什么？第三，最近两年之中，关盐两税之增进已停止展开，而统税独趋继续增进，这又是为什么？换言之，前二者为什么停止？而后者为什么反趋发展？

为便于这几点的答复起见，我们可以分开来说。

第一，这几年来的租税增收，我们可以指出并非是自然增加，而不过是一个逐年提高税率的结果。

（A）关税税率之改订　中国现行关税，在政府常称已为“关税自主”，实则徒有自主之名，而无完全自主之实，不平等的规定，依然还能从新商约以内看出[1]。而中国之关税，又向为财政关税，但求有收入可以增加，产业保护倒还在其次，几年来关税的改订税率，就莫不在这财政收入的目标下所举行。在进出口税则方面的改订有下列几次：

进口税之改订

民国十八年	新定税则系综合旧税则之值百抽五之税率，及关税会议时美英日三国修正之七级税率，与煤油卷烟新增之二点五附税及特税而成。二月一日起实施。
民国十九年	进口税则改用关金计算，二月一日起实行。
民国二十年	新定税则，其货价标准年度为民国十四年。此税则中税率除《中日协定》附表（甲）中规定物品外，大致皆有变动。计增税者有四百五十一项，减税一百五十项，未变动者二百三十二项。一月一

[1] 参照中国经济情报社编《中国经济年报》第一辑五一页及孙怀仁：《中国关税与华北走私》（《新中华》四卷十一期）。

日起施行。此税则于翌年四月，略事修改，增加糖品税率，又于八月间，对于税则中一部分物品如药物、人造靛等，均增加税率。

民国廿二年　是年税则以民国二十年为货价标准年度而改订。棉布，呢绒，日用品等三百八十五项增高税率，糖酒烟等四百三十三项税率不变，人参燕窝等奢侈品九十二项减低税率。五月二十二日起施行。同年十二月又经修正，征收米谷等进口税，增高小麦粉煤油等税率。

民国廿三年　为补助财政计，将前年税则中棉布，机器等三百八十八项增高进口税，棉花呢绒等六十六项减低税率，其余四百七十项，税率未变。七月起施行。

出口税之改订

民国二十年　这次的税则中，规定从量税部分税率为五%，从价税部分除肠，罐头，磁器等二十五项外，税率为七点五%，茶，绸缎等三十项免税。六月一日起施行。此后略加修改，廿一年五月起免征丝税，同年八月起，免征丝制品税，廿二年十月起，免征米谷等出口税。

民国廿三年　　就二十年之出口税则，减低三十五项税率，新增免税品四十四项。六月二十一日起施行。翌年七月，又略加修正。

在这段改订经过中，可知进出口税率之变动，在国难后（二十年）的几年中，特别频繁，而且在进口税的改订中，有一个特点，就是把富于弹性的进口货减税，日用品加税。这个特点，正是说明了中国关税之财政性，因日用品比较是需要无弹性，增税亦不致会影响于其进口，这样，关税便能增加，反之，奢侈品需要弹性大，减税可以引起进口，这样，关税便不至于会减少。历次改革，都不出此原则，而尤以最近二三年来的改订，为特别显著[1]。可是像棉布，机器等增税所给予民族工业的打击，却不小了。至于出口货的减税或免税，在原则上当然是对的，不过在中国的情形下，有一点特别情形

[1] 参照前书五六页。

必须注意，即中国的出口货，都为原料，减税的结果，纵令出口旺盛，生产者能得若干之利益，但列强以此原料，变为制品，流入中国以榨取时，则中国所受原料输出之利，尚不足补制品进口之失罢。

（B）盐税税率之改订 “盐之为物，虽为人人日用所不可缺，然所需之量至微，其负担之加诸民者亦绝非深巨，且征收简易，所入至丰。各国之理财者，犹多乐用之（？——本书笔者）。若我国则自管桑以降，行之垂三千年已！”[1]这是官报关于盐税之辩护。事实上目前年收盐税，已达二万万元左右，以四万万人平均，每人已须负担大洋五角，这在一般中国贫苦的大众，能说“绝非深巨”吗？且纵令“所需之量至微”，无如连年税收加增，需量虽微，而负担已早不轻微了。老实讲，目前盐税存在之理由，只不过是官报上所谓“征收简易，所入至丰”二语而已，要以“良税”的名义来做盐税存在之理由，无论如何是不能辩护过来的。

盐税在这十年中的改订经过，乃如下列：

民国十八年 恢复北伐期中各地停闭之稽核制度，以图

[1] 见二十年《盐务年报》。

增加税收。

民国二十年　财部接征各区盐税附加。更改六区之税则，将高税区酌量减低，低税区增率。又自四月一日起，产盐各区食盐场税，每担加征附税三角，以为镑亏之弥补[1]。

民国廿一年　改革盐务机关，由盐务稽核所兼办盐务行政，七月起施行。通令划一税率，并合盐税为三种即“正税”“销税”及“附税”。正税为缴于场区之场税及中央附税，销税为缴于销岸之岸税及中央附税，附税为地方加征之附税。

民国廿二年　再度划一税率，将轻税区加重，重税区减低。事实上，计加高者有：(一)淮北近场五岸，江苏六岸；(二)淮南内河食岸及东台；(三)两淮近场各地；(四)松江苏属五属吴常等地；(五)山东民运十八县及青岛；(六)河东行销豫岸盐斤税；(七)皖岸望江等县；(八)闽盐口捐；

[1] 见二十年《盐务年报》。

	（九）鄂西；（十）晋北；（十一）广东江洪渔盐，其核减者有：（一）山东东纲七九县地方附税；（二）皖岸合肥等县地方附税；（三）鄂岸麻城等五县及枣阳等六县中央附加税；（四）湘南一带中央及地方附加税；（五）长芦行销冀岸西南部之盐，减军事捐，其销豫岸者减军事捐及销税，皮硝卤块等税一律核减；（六）川南揵乐等票场及云阳大宁二引场，核减场税。
民国廿三年	一月起，改用新秤（较旧秤为小）。凡各区税率，在十元以上者，一律减为十元，其在十元以下者即以原定税率，施行新秤。

这五次盐税的整理与改订，与其说是为改善税制，毋宁说是为征加税收，来得妥当些。国难愈深，加税愈急。廿三年的改正税率，名为平衡各盐产盐税率的畸重畸轻，实则大部分不过是仅就轻税区税率加大而已，而所核减者，仅不过若干区之附加税。总计这次整理，加

税者计十一区，核减者仅六区，而核减之数，实远不及加增之数。现在盐税负担（廿四年二月以后）[1]，最高的每担达八元一角三分三厘（如长芦盐区冀岸四十三县等），最低为三分（如山东盐区的运销日本食盐），平均一般为五六元之谱。由此，可见盐税率之统一，距离事实尚远。同时，在今日的盐税中，中央附加税与地方及其他附加税还有很多的存在着，如鄂岸盐区南漳等十五县的中央附税，即达六元五角，地方及其他附加税之多者，达六七种，如冀岸四十三县的附加税，即达七种，如“整理费”一角，“军事附捐”一元，“加征产捐”一元，“产地捐”五角，“缉私费”三分三厘，“河工捐”五角，“销地捐”一元，“镑亏费”三角，共计四元四角三分三厘，其中大部分，即用以充平政会之经费者。此外，附加中还有什么“建坨费”，“督销费”，“运费提成”（以里计），“食户捐”，“救国捐”，“购舰械费”，“剿匪捐”，“军饷捐”，“人马脚捐”，“盐股捐”，“保运”，“筹备费”，“口捐”，“公路捐”，“路股”，“平浏路捐”，“教育费”，“赈捐”，“场警经费”等种种附税，散见于各省。至于廿

[1] 见《财政年鉴》，七八六——八二八页。

三年的改新衡制，亦不过是一种变相的增税而已。盐税征税，原系用司马秤，较新改的秤，约大十分之二左右，因此，实际上等于增税二二%。这样增税的结果，使平民负担加重，华北一带农民改食廉价而有毒的硝盐，最近数年来冀鲁豫苏浙沿海诸省的抢盐，及农民反抗盐警剥夺生计的诸多流血惨案，便是盐政不良的结果[1]。

（C）统税税率之变更　现行统税，有卷烟、棉纱、麦粉、火柴、水泥、薰烟、啤酒、火酒等数种，卷烟统税创办于十七年，麦粉税始于十七年后，火柴税起于十九年冬，其余诸种统税，皆始于民国二十年一月以后。此税之税率变更经过，可如次列：

民国十七年　　卷烟统税仿照海关税率，定为七级制。税率分列舶来与国产二种，此税率于十八年二月，略加修正。

民国十八年　　麦粉税税率规定凡国产及舶来麦粉，行销本国者每包征大洋一角；本国粉行销

[1] 参照徐雪寒:《最近中国财政的回顾及前瞻》(《中国经济情报》二卷三期)及廿三年九月廿五日《教育日报》记事。

国外者，退税五分；本国机制麸皮，每包在五十斤以下者，征二分五厘；五十一斤以上者征五分。

民国十九年　卷烟统税率改为三级制，征税单位为五万支，一五〇元以下者征三十二元；一五〇元至五四〇元者，征五十六元；五四〇元以上者，征二二五元。设山东薰烟专局，每百斤征三元六角。

民国二十年　卷烟统税改为新三级制，第一级税率增为三〇五元，第二级为八十一元，第三级为三十九元。棉纱统税定二十三支以下每包（四十小包）重量不满百斤者，征二元七角五分，二十三支以上者征三元七角五分。火柴统税分三级：（甲）长度不及四十三公厘或每盒支数不过七十五支者，每大箱征收国币五元；（乙）四十三公厘以上，五十二公厘以下，或每盒不满百支者，征七元五角；（丙）五十二公厘以上或百支以上者，征十元。水

	泥统税规定每桶（重三百八十磅）征六角，但包装或小桶超过或不足三八〇磅，其差额在十分之一以上者，按重量比例计算。是年设豫鲁皖薰烟局，每百斤改征四元五角。啤酒税从价值百征二十。
民国廿一年	卷烟统税改为二级制，五万支售二六〇元以下者征五十五元，二六〇元以上者，征九十五元。薰烟税由统税署接管改用市斤计算，每百斤征三元七角二分。
民国廿二年	卷烟改新二级制，以三百元为分界，其下征八〇元，其上征一六〇元。麦粉税改征每包（重四十九磅，即$22\frac{23}{100}$公斤）征一角，麸皮每包在司马秤五十一斤以上者（即$30\frac{84}{100}$公斤）征五分，五十斤以下者（即$30\frac{24}{100}$公斤）征二分五厘。棉纱统税改定为二十三支以下每包（四十小包）重量在三百十七斤以内者，征八元五角八分，二十三支以上每包征十一元六角二分五厘。火柴统税改为五项：（甲）

安全火柴长度不及四十三公厘，或每盒不过七十五支者每大箱征五元，每小箱征八角三分三厘；（乙）安全火柴长度在四十三公厘以上或不过百支者每大箱征七元五角，每小箱征一元二角五分；（丙）安全火柴长度在五十二公厘以上或过百支者每大箱征十元，每小箱征一元六角六分六厘；（丁）硫火磷火柴税率依各地方特定办法征收；（戊）散装火柴每百斤（即$60\frac{48}{100}$公斤）征一元二角五分。水泥改定为以重量计算，四十二公斤又五分之一者，征一角五分；重四十九公斤又十分之九者，征一角八分；六十三公斤又二分之一者，征二角三分；八十五公斤者，征三角；一百十三公斤又三分之一者，征四角；一百七十公斤者征六角。薰烟统税，改为每净重一百市斤，征四元一角五分。啤酒税改为统税，税率分箱装桶装二种，凡四十八大瓶或七十二小瓶箱装征二元六角，桶装则依净装容量计算，每一公升征七分。

民国廿四年　　开征火酒统税。

这一个统税的急激增税，很明白就是对于中国民族工业急激的不利。像棉纱统税那样以二十三支为标准，前后仅差三元，这不仅对于以生产粗纱为主的华厂为不利，还助长了以生产细纱为主的外厂在华之发展。这几年来的统税增加，大致都有此种倾向。事实上，统税愈增加得快，华商所受到的桎梏，也就愈重。（详见工业章）

十年以来，关盐统三税就如上所述的继续提高着，因此，国难虽重，税收却依然的增加着。实际上，在国难发生以后，东北四省税收都已被夺，财政愈觉不支，这也正是造成最近数年中，急激提高税率的唯一契机。然而，这增税对于中国经济上的打击，却不能说小了。

第二，前面已经说过，中国目前的关税，尚不能称为完全自主，而且，在这几年的世界经济恐慌中，各帝国主义正在以中国为输出商品之唯一尾闾，在某个程度以内的增加关税，还可以得到帝国主义国家默认，不然，帝国主义便为自身之利害而有所表示的。至于盐税之增加，大体上与列强无大利害，统税之变更，则更是帝国主义为自身之投资而乐意的。这个关系，在中国税收的增加上，就表示成为了关税增加率不及盐税，盐税又不若统税了。

第三，我们要说明最近两年来关盐税停止增加，而统税继续进展的问题（这虽然还是预算数，但事实恐正是如此吧），那我们只须把国难加深的事实想一想就会明白的。华北这么大的一个地方，有着重要的海关，有着重要的产盐区，我们在这海关与盐区的权力，不显明的已是打上了一个折扣吗？势力既难以完全发挥，税收的减低，那是必然的结果。华北走私的问题，到现在还不能解决，据江海关报告，今年四月份一个月的关税损失已达八百万元，这样，合全年而计之，因走私而受到的关税损失当在一万万元左右，占全国关税收入之三分之一。这正就是关盐两税难以再增加的铁证。至于统税，最主要的税源，尚在大河以南，因此也就比较的一时不致受着影响。而且，关盐两税受着侵害以后，许多以关盐税为担保的内外债，仍不能不设法清偿。要设法清偿内外债，也唯有向唯一的统税增征税款了[1]。这样就造成了关盐两税停止增进而独统税增长的局面。

最后在各项税率增高最甚的民国廿三年时，印花税亦经一度修改，十月十二日立法院通过新印花税法，税率较前竟有加重五十倍至一百倍者[2]，同时规定旧印花在新印花实施后（十一月一日），一律作为无效。一时引起各地商人纷纷呈请以旧花掉换新花[3]，几经力争，总算勉强达到了目的（分期掉换）。但税率较前已大增，据专家估计，增税后年可收六千万元，较目前增四倍[4]。而罚则亦已加甚了。这一事实，要亦同统税增加的情形正相仿佛，而抵补各地苛杂，当亦不失为一部分之原因。

---

[1] 参照孙怀仁:《中国关税与华北走私》(《新中华》四卷十一号)。

[2] 见无锡商会呈中政会文:"立法院新决议之新印花税法，货票银钱收据，三元以上至十元者贴一分，以后每满十元加一分，最多以一元为限，比较现行《印花税条例》，发货票贴一分，各项银钱收据至多贴二分，几高至一百倍与五十倍。……"（廿三年十月廿八日《大公报》）

[3] 过去印花税多系包商押卖，故商人处积存旧花甚多。甚至例如隆平地方县属各村，每月由区警派送印花一次，按村镇大小，每次派印花由四元至一元不等。农民无法使用，只好存储。（廿三年八月九日《大公报》）

[4] 见廿三年九月二十三日《东南日报》。

第四章　洪水泛滥的国债与其二次大整理

十年来膨胀的财政支出，虽然大部分是靠着十年来膨胀的税收，但单依税收的增加，并不足以应付庞大的经费的。所谓国家的行政收入，及经济收入，在中国财政上并不占着重要的地位。因此，十年来中国财政上逐年膨胀的赤字，全部都以发行内债与银行借款来弥补，我们把民国以来内债发行的消长，可以列如次表[1]:（单位千元）

[1] 表见鲍幼甲:《公债整理与财政建设》(《经济评论》三卷二号)。(表中个别统计数据疑有误，此次出版保持原貌。——编者注)

年　次	本年发行额	本年偿还额	年末负债滚存	比较上年之增减
元年	6,248	——	6,248	(+) 6,248
二年	6,842	——	13,090	(+) 6,842
三年	24,971	——	38,061	(+) 24,970
四年	25,834	1,150	62,745	(+) 26,684
五年	8,771	1,150	70,366	(+) 7,620
六年	10,517	2,030	78,853	(+) 8,486
七年	139,364	12,678	205,538	(+) 126,685
八年	28,359	16,559	217,338	(+) 11,800
九年	121,960	18,045	321,254	(+) 103,915
十年	115,362	202,573	234,043	(−) 87,210
十一年	83,235	40,741	276,537	(+) 42,493
十二年	5,000	19,708	261,828	(−) 14,708
十三年	5,200	17,208	249,820	(−) 12,008
十四年	23,000	20,922	251,897	(+) 2,077
十五年	15,400	26,338	240,959	(−) 10,938
十六年	81,090	21,378	300,672	(+) 59,712
十七年	103,000	46,794	356,878	(+) 56,206
十八年	243,000	62,160	537,718	(+) 180,840
十九年	174,000	87,117	624,601	(+) 86,883
二十年	416,000	114,685	925,916	(+) 301,315
廿一年	——	66,221	859,695	(−) 66,221
廿二年	124,000	65,947	917,748	(+) 58,053
廿三年	112,000	81,494	948,254	(+) 30,506

这张表是截止到廿三年年底止，负债滚存已达九万四千八百余万元，超过了十七年负债数的二倍有半。事实上，在翌年的廿四年及廿五年一月，还发行如下的几

种公债:(电政公债及第二期铁路公债除外)

公债名	发行额
金融公债	100,000,000
统税凭证	120,000,000
俄退庚款借款	120,000,000
廿三年关税公债	100,000,000
整理四川金融库券	30,000,000
四川善后公债	70,000,000
赈灾公债	20,000,000
短期国库证	100,000,000
廿五年四川善后公债	15,000,000
总　计	675,000,000

截至去年十月底止，中国历年所发内债及具有公债性质的国库证券或凭证，已达国币二十三万二千九百余万元，除逐年偿还及已收回者外，所有负债总数约为国币十二万六千六百余万元，尚有数种未经整理之债款未曾列入[1]，截止到今年一月底止，据债券持券人公会的发表，共尚负十四万六千万元。这一笔债款，在绝对数目上虽不能谓大，但要对比于中国国力而言，已不能不说是一件巨大的负债了。而此一巨债，名义上虽为廿四年来的负债滚存，但实则大部分即为近十年来所造成。

[1] 见《银行周报》十九卷四十四期。

在民国十五年底负债额仅为二万四千万元，十六年至廿三年的八年中，计增加了七万万元，若自十六年至廿五年一月底止，则已增加十二万二千万元。这一个增加数，尚系负债额中减去偿还额后的净值，假若我们把历年的发行数来比，那么，有如次表：

年次	金额（千元）	百分比
民国元年——五年	72,666	2.9%
六年——十年	415,562	16.3%
十一年——十五年	131,835	5.1%
合计	620,063	24.3%
民国十六年——二十年	1,017,090	40.0%
廿一年——廿四年	911,000	35.7%
合计	1,928,090	75.7%
总计	2,548,153	100%

这样我们可以知道从民国元年至十五年的十五年中，内债发行总额仅为六万二千万元，仅占廿五年来发行总数的二四点三%而已，但最近十年的发行总额却竟达过去十五年中发行额的三倍以上，即比过去十五年超过了十三万万元。这个数字，还是仅指财部经管的长期公债库券等而言，事实上，除此以外，尚有许多短期借款，银行垫款及银行透支以及铁部交部经管的内债等，

未曾包含在内。此种借款，确数若干，我们无从查得，但其总数亦必可观。据《财政年鉴》的记载，民国十六年至廿二年止的七年中，向银行或其他法团，订立合同，或用公函借入之一年度以上的借款，即已达五万七千万元，至于年度内随借随还之借款，尚未包含在内。

历年借款额[1]

	元
十六年	2,425,827.66
十七年	——
十八年	——
十九年	19,000,000.00
二十年	74,910,000.00
廿一年	162,580,000.00
廿二年	311,091,412.99
合计	570,007,277.21

因此，我们把最近十年来的财政负债，可以推定最少已在二十万万元以上。平均每年举债二万万元，国民每人每年负债五角左右，十年来，每人即已负过五元的国债。退一步，我们即以目前长期公债的现负额（十四

[1] 见财政部《财政年鉴》，一二三八——一二三九页。（表中个别数据疑有误，此次出版保持原貌。——编者注）

万六千万元）而言，每人还现负着三元五角的国内债。

关于内债的发行，凡是研究过财政学的人，大概都知道的，它是一种资产阶级经过国家机构以榨取大众的工具。因为能应募公债的人，都是资产阶级，而将来用以偿还公债本息的，是大众缴付于国家的租税，国家公债愈借得多，大众要缴纳的租税也愈多，而资产阶级的不劳利得也愈大。而事实上，中国近年的内债，此种不良的作用特别大。中国的内债，不仅是债息过高，而且发行价格，皆非照票面十足发行，又公债的承募，都是由银行应募，往往还要在发行折扣以上，再加以种种手续费，募集费，利息先付等剥削，每百元实收不过七八十元，假若我们再把因公债发行而生的各种费用，如印刷费，本息偿还之手续费及各种杂费等除去，那么，政府所收入者当更少。不特此也，中国近年的发行公债，都是一种“等米下锅”的勾当，往往先以公债为担保，向各银行押款，其后，由各银行将公债照市面五六折的价格，以与政府结账。这是银行的直接榨取政府，间接榨取国民大众。事实上，中国历年所发债券，实际收入只为五六折而已。这一事实，我们只要把历年发行的公债额与历年《财政报告》的公债库券实收额一比，就可以知道的。换言之，从十六年至廿二年，发行公债额为十一万四千一百余万元，而《财政报告》中自十六年度至廿二年度的实收额，仅六万四千五百余万元，这不明明是打上了一个五折七扣吗？又如廿三年度公债发行额为三万二千万元，而政府实收仅一万六千四百余万元[1]。这不正是五折一扣吗？然而公债归还的时候，却不能不照额面十足偿还。这样，不是使大众无理的多负了一半的债吗？这是中国银行家文明的高利贷！杀人不见血的榨取！

这种公债政策，实无异于“饮鸩止渴”。在借债之初，固属轻而易举，但日久以后，必成积重难返，而债务费的压迫，必至一日重于一日。“九一八”沈变及“一·二八”沪战以后，国内经济的崩坏，愈为显著，债务费的压迫，亦愈加盛，而且在原有公债以上，欲再发行公债，已苦无基金可拨，于是，廿一年二月二十四日，实行中国内债的第一次大整理，“……际兹国难当前，财政奇绌，

[1] 发行数据 Finance and Commerce，Jan. 22，1936 实收数为满铁上海事务所调查（参照满铁上海事务所编:《中国币制改革之研究》，三五四页）。

与其使债市飘摇，无宁略减利息，稍延偿还日期，俾社会之金融得免枯竭，御侮之财力借可稍纾。……”(《国民政府令》) 这明白说明这次整理的目的是“财力借可稍纾”。我们据持票人宣言中的办法而观，这次整理的主要点[1]是（一）每月所拨基金，不得少于现拨本息之半数，即每月八百六十万元；（二）各种库券，每月数额以折半偿之，其息年概以每月五厘计算，延长还期；（三）各项公债改为年息六厘，延长年数，并改为三个月抽签一次；（四）四年以后按每月基金八百六十万元，逐年递加，俾得早日偿清。由这几点看来，可以知道这次整理目的，在于剩出公债基金，以为新发公债的余地。从这次整理以后，四年之中，便接着勉强的总算又发了许多次公债。

时光匆匆，第一次整理案中的四年后的约期到了，然而约期虽到，中国财政比四年以前已愈见困难，而债务费的负担，较四年前亦已更多，公债偿还不足额，每月已达四百万元，且新债发行的余地，较四年前又愈益隘狭，然而中国财政却仍然不能不倚赖于借债度日，于是，廿五年二月一日，不能不再来一个第二次的大整

[1] 见中央银行编:《中国债券汇编》，五四五——五四八页，《持票人会宣言》。

理。这整理的目的，不消说还是想剩出基金来发行新债。这次整理的办法，（一）发行十四万六千万元统一公债，借换过去之各种公债；（二）延长还本期限，分甲乙丙丁戊五种；（三）利率不变，基金照旧有债券原案规定，在关税项下，除去拨付赔款及外债以外所余之税款支付[1]。

以统一公债借换之各旧有债券一览

债券类别		截止至廿五年二月一日止结欠之本金债额（千元）	利率	原定还清日期	延长期间
甲种债券六项分十二年还清者	廿二年爱国库券	4,744	月息5厘	廿五年十一月末	约十一年余
	十八年关税库券	7,862	同上	廿六年七月末	约十年半
	廿二年华北战区公债	2,200	年息6厘	廿七年七月末	约九年半
	治安债券	1,970	年息6厘	廿八年一月十日	约九年
	十九年关税库券	32,960	月息5厘	廿八年一月末	约九年
	短期国库凭证	100,000	未详	廿五年十二月末	约十一年余

[1] 见二月二日各报。

续表

乙种债券五项分十五年还清者	十九年善后库券	25,800	月息5厘	廿八年十一月末	十一年余
	二四库券	1,464	年息6厘	廿八年十二月二十日	十一年余
	廿四年整理四川金融库券	27,572	月息5厘	廿九年十一月末	约十年
	廿三年关税库券	37,500	同上	廿九年十二月末	约十年
	二十年卷烟库券	37,740	同上	三十年一月末	约十年
丙种债券九项分十八年还清者	十八年编遣库券	36,260	月息5厘	三十年六月末	约十二年余
	二十年统税库券	56,832	同上	三十年九月末	约十二年余
	二十年金融短期	71,200	年息6厘	三十年十月十五日	约十二年余
	二十年监税库券	58,496	月息5厘	三十年十月末	约十二年余
	二十年江浙丝业公债	4,500	年息6厘	卅一年四月十五日	约十二年
	十八年赈灾公债	8,100	同上	卅一年六月末	约十一年余
	军需公债	4,959	同上	卅一年九月末	约十一年半
	十八年裁兵公债	27,000	同上	卅二年一月末	约十一年
	二十年关税库券	56,640	月息5厘	卅二年一月末	约十一年

续表

丁种债券八项分二十一年还清者	十九年关税公债	12,605	年息 6 厘	卅二年年末	十三年余
	七年长期公债	19,800	同上	卅二年年末	十三年余
	二十年赈灾公债	24,300	同上	卅三年二月末	约十三年
	统税凭证	111,560	月息 6 厘	卅五年十二月末	约十一年余
	意庚款凭证	34,625	同上	卅四年一月末	约十二年
	廿四年金融公债	100,000	年息 6 厘	卅四年三月末	约十二年
	廿三年关税公债	97,000	同上	卅四年六月末	约十一年余
	俄庚款凭证	106,080	月息 6 厘	卅四年年末	约十一年
戊种债券五项分二十四年还清者	廿二年关税库券	86,000	月息 5 厘	卅五年三月末	约十四年
	廿四年水灾工赈公债	20,000	年息 6 厘	卅六年十月末	约十二年半
	整理七厘公债	8,160	同上	卅六年十一月末	同上
	整理六厘公债	32,635	同上	卅六年十二月一日	十二年余
	十五年春节库券	7,880	同上	卅七年一月末	约十二年
各债合计		1,261,444			

这一次的整理，与第一次的整理是“一鼻孔出气”，

主要的意义就是说明着中国公债政策的再度“碰壁”。第一次的整理，是靠“减息”“延期”来腾出发新债的基金，这次的整理是靠“延期”“整还”来腾出发新债的基金。在这次整理中，利息并不曾变动，但还本付息的期限，却已一律延长了十年以至十三年不等。同时，一切每月支付本息的库券，现在都已改为成了每半年支付本息的公债了。这两点改革，一方面在每期的内债基金中，可以腾出大部分来，作为发新债的基金，另一方面，每月支付的改为每半年支付，可以使财政上的调度，多得些便利[1]。

据耿爱德的计算，这次整理的结果，每年的偿还额，可以较前大为减少，如以廿五年而论，原定偿还额，每年为一亿八千六百万元，每月平均为一千五百万元[2]，但在整理以后，半年只须偿还五千五百六十九万元，即每月为九百二十万元[3]，较前每月可以少六百万元，即四〇%左右。这样整理的结果，不特解消了每月偿债不足额的四百万元，同时，又得以腾出了一笔发新公债的

[1] 参照千家驹:《中国的新公债案与财政》(《世界知识》三卷十一号)。

[2] Finance and Commerce, Jan. 29, 1936.

[3] Ibid., Mar. 4, 1936.

基金。在这里，便出现了三万四千万元的“复兴公债”。合十四万六千万元的“统一公债”而计之，现在我们已经有着十八万万元的大量内债了，平均每国民负担四元五角。这次复兴公债，以数额而言，可以说中国内债史上空前的大债。

在这次公债整理以前，财政部经管之内债，共有四十二种，而这次的统一公债，仅包含三十一种［有十一种（即玉萍路公债，廿四年四川善后公债，十七年金融长期公债，海河公债，十七年善后公债及北京政府发行而目前不偿还之六种）未曾加入］，另加短期国库证券及统税凭证二种，合成三十三种。这短期国库证券及统税凭证二种，在整理以前，一般人都是不知道的，这大概是财政部的银行借款，乘机加入于公债整理中的。这次统一公债中三十三种公债的未偿还额，据前面那张表中计算，为十二亿六千万元，据耿爱德计算为十二亿七千万元，这两个数额，都较这次所发统一公债额为少，计相差达一亿八千万元以上，其内容为[1]：（单位元）

[1] Finance and Commerce，Feb. 12，1936.（此表第六行疑统计有误，此次出版保持原貌。——编者注）

	未偿还额	统一公债额	相差额
甲种	149,763,350	150,000,000	236,645
乙种	130,074,000	150,000,000	19,926,000
丙种	321,428,000	350,000,000	28,572,000
丁种	521,369,000	550,000,000	28,631,000
戊种	154,795,337	260,000,000	105,204,664
合计	1,277,429,692	1,460,000,000	182,570,308

这一万八千万元的开差，究竟为什么，我们不能确定，大约不出于下列二者中之一，即：（一）是统一公债发行价格之折扣，或是（二）银行借款之改作为公债额。

这次整理以后，虽然偿还额暂时可以减少，新债亦得发行，但今后之负担却须较整理前为年重一年了。

整理前后之内债本息偿还额[1]（单位千元）

	整理前之本息偿还额	整理后之本息偿还额				
		统一公债以外之各债	统一公债	合计	复兴公债	合计
廿五年	161,412	4,538	51,100	55,638	11,900	67,538
廿六年	163,844	3,646	102,139	105,785	23,647	129,432

[1] 参照满铁上海事务所编：《中国币制改革之研究》，三五九——六〇页。（表内数据略有误差，此次出版保持原貌。——编者注）

续 表

廿七年	165,547	3,566	102,409	105,975	23,443	129,417
廿八年	169,744	3,286	107,887	111,173	23,239	134,411
廿九年	173,408	3,023	112,967	115,990	23,0385	139,026
卅年	148,674	2,967	122,860	125,827	23,851	149,678
卅一年	100,833	2,911	132,213	135,124	24,575	159,699
卅二年	81,616	2,855	136,533	139,388	24,589	163,977
卅三年	62,880	2,798	140,266	143,064	24,572	167,637
卅四年	38,323	2,742	144,283	147,025	27,265	174,289
卅五年	12,365	2,686	148,624	151,310	29,682	180,991
卅六年	10,721	2,630	149,172	151,802	28,948	180,749
卅七年	2,817	2,573	138,130	140,703	30,253	170,957
卅八年	2,517	2,517	129,903	132,420	31,375	163,796
卅九年	2,461	2,461	134,331	136,792	30,396	167,188
四十年	2,405	2,405	129,699	132,104	31,457	163,560
四十一年	2,348	2,348	124,602	126,950	31,334	159,284
四十二年	2,292	2,291	124,986	127,188	31,110	158,298
四十三年	——	——	105,595	105,595	31,926	137,521
四十四年	——	——	88,200	88,200	32,558	120,758
四十五年	——	——	90,467	90,467	31,090	121,556
四十六年	——	——	56,020	56,020	30,641	86,661
四十七年	——	——	21,718	21,718	30,100	51,818
四十八年	——	——	22,116	22,116	28,509	50,624
四十九年	——	——	10,980	10,980	13,658	24,638
合　计	1,304,206	52,246	2,627,107	2,679,353	674,152	3,353,500

整理前之本息偿还额，据罗从豫:《廿四年份财政部现负有确实担保内外债款之清算》(《中行月刊》廿五年一、二月)；整理后之数，据：Finance and Commerce. Mar.4, Mar.11.1936.

这表内罗氏计算的数字，虽尚有若干种公债并未包含在内，但大致情形已无甚大差，这样，我们把它与整理后的数字一比，可以发见值得注意的两点：（一）民国卅一年后，每年内债偿还额将较前更加重；（二）一个整理的结果，全部偿还额将增加一倍，若将复兴公债加入在内，则须增加一倍以上，即二十万万元。

关于复兴公债的发行目的，据公布是说完成去年的法币政策，健全金融组织，扶助生产事业，但实则不外是救济膨胀的财政而已。中国的一切，我们现在都不能过于看得认真。表面不妨是这样，而实际却又不妨是那样的。很明显的，像民国十八年四月二十日立法院通过的《公债法》原则草案中，虽然很明白的规定着公债用途为：（一）用作为生产事业之资本，但限于有偿债能力而不增加国库负担之生产事业；（二）作为国家重要设施创设之用，但限于对国家人民有永久利益之事业；（三）用作为非常紧急之需要，如对外战争及重大天灾等，皆属之；（四）用为整理债务，但限于得减轻负担者。然而事实上，中国历年所发公债，其目的是与此原则相符吗？从民国十六年到廿四年底所发十余万万元的公债中，除掉江浙丝业公债五百万元，海河公债五百万元，廿四年整理四川金融库券三千万元，华北战区公债四百万元，十八年赈灾公债一千万元，二十年赈灾公债三千万元，廿四年水灾工赈公债二千万元等数种，合计十万零四百万元比较还勉强符合上述的原则外，其余的公债，还不依然是充不生产的军政费用吗？因此，原则是原则，事实又是事实，比较算能合于原则的，不过十分之一而已。且所谓军政费的消耗，十分之八九为军费，而这个军费又岂是公债用途第三原则中的对外战争吗？几年来，失地既未收复，而寇焰正方兴未艾，天灾来临，小民流离，这些曾得几何的内债之惠呢[1]？十年来十余万万元的内债（银行借款尚不在内），只是造成了银行家的发财，与冻结了银行的资本。最近三年来各银行资产构成中的有价证券之消长如次[2]：（单位百万元）

诸君看了这张表，有什么感想吗？在这里，说明

[1] 参照千家驹著：《中国之内债》。

[2] 各行资产表系据徐农：《中国国民经济的全貌》（《新中华》四卷十期）文中各表改编计算而成。

	中央·中国·交通三行						六大商业银行（上海·金城·大陆兴业·中南·盐业）					
	现金		放款贴现透支		有价证券		现金		放款贴现透支		有价证券	
	金额	指数	金额	指数	金额	指数	金额	指数	金额	指数	金额	指数
民国廿二年	387.3	100.0	655.1	100.0	62.1	100.0	182.7	100.0	409.1	100.0	91.9	100.0
民国廿三年	330.5	85.3	693.4	105.8	210.1	338.3	167.7	91.8	480.7	117.5	104.7	113.9
民国廿四年	729.2	188.3	891.3	136.1	342.0	550.7	165.5	90.6	441.6	107.9	112.7	133.5

着银行资本之有价证券固定化，而这有价证券，大部分是由公债所构成。我们看中中交三行的资产中，现金，放款，证券等虽然都有着增加倾向，但其增加速率，以有价证券为最快，三年来的现金增加不过八八%，放款等增加不过三六%，而有价证券竟增加了五倍以上，这是一个什么比率！这中中交三行证券的大量增加，不仅表示了资产之固定化，同时，又成为了三行发行额膨胀之主要原因。至于商业银行，更明白的表示着资产中只有有价证券在继续的增加着，像去年那样，各行现金比前年减少了一百万元，放款等减少了一千万元，而有价证券却增加了八百万元，这不明明是说明着银行资产已更冻结化为公债了吗？公债对于金融上之关系，事实上犹不仅此，详细的我们当在金融章中再说明罢。

这十年中，中国国债除发过上述的内债外，还有如下的外债[1]：

[1] 参照《财政年鉴》，一三八二——一三八三页。表中国币折合比率，系法金1法郎=2角，美金1元=3元2角。

十八年度	法实业银行结账加中算之三个月延期利息	法金 2,000,000.00（合国币约400,000.00 元）	年息 ——
	中法教育基金委员会借款	美金 265,000.00（合国币约848,000.00 元）	同上 6%
廿年度	美麦借款	美金 9,212,826.56（合国币约29,481,044.99 元）	同上 4%
廿二年度	美棉麦借款	美金 20,000,000.00（合国币约64,000,000.00 元）	同上 5%
合计	国币	94,729,044.99 元	

这几笔外债，都是不具有债券之形式的；以其数额而言，尚不及十年来内债发行额之十分之一；以利息言，除中法教育借款利率与内债相等外，余皆较内债为低，但夷考其实际，则完全不是那么一回事。因为这两次所借的，都不过是美国的过剩商品——棉、麦这些东西，借到中国要出运费及杂费，而且在商品变为金钱时，又必须吃些亏，因此，像廿二年度棉麦借款那样，“此次借款，连同费用平均估摊，约合年息百分之八点五左右”（见廿一廿二年度《财政报告》）了。借外债，在这年头，本来是不容易，像中国这种农业国家，去借棉麦，更是

凶多吉少。虽然棉花纤维不同，但以粗纱生产为主的中国纱厂，根本无此进胃，因此，结果只不过以八折价格为日商收去而已，至于面粉那样，更是吃亏的勾当，《财政报告》中明明的说着“美粉部分虽微有亏损，然亦不过全部百分之六而已”。所谓全部，当指廿二年棉麦借款二千万元美金的全额，然则，所谓百分之六，应当是一百二十万元美金了，合国币应为三百八十余万元，这损失无论如何难以用“亦不过”三字去形容了吧。这些外债的用途，据官方的报告，是作救灾与建设用的，然而这救灾与建设的效果，又在那里呢？农村既未复兴，实业愈趋衰颓，借外债之不足以挽救中国国民经济，在这里已明白的说明着。最近两年来，利用外资的声浪，虽复高昂，无如国际暗礁正多，一时怕不易成功。昨年法币政策宣布以后，存银批批出卖，最近《中美协定》订定，存银当更大量脱手，这一事实，在表面上虽为稳定法币汇价，而间接的目的，则欲使汇价稳定后，法币发行可以自由，然后以求财政之补苴[1]，国债政策至此，不久怕就有一新的转变吧。

[1] 参照钱俊瑞:《中美白银协定的透视》(《世界知识》四卷六号)。

第五章　岁出之一般的倾向

研究一国财政的合理不合理，有许多学者主张研究收入方面，有许多学者主张研究经费支出方面[1]，事实上，十年来的中国财政，不问在收入方面，或支出方面，都显示着高度的不合理。在租税收入方面，是不公平，不平等，不普遍，不确实，不经济，既不能促进私经济之发达，又不能有利于公经济之发达，其大致情形，已如前数节所论。在这里我们将解剖中国财政支出方面的一般倾向，与其不合理性了。

近十年来中国的经费支出方向，始终未曾稍变，一言以蔽之，是以军债费为中心的支出，支出一年一年的增加与膨胀，所增加与膨胀者，不过此军务费与债务费而已。

[1] 参照孙怀仁:《中国财政之解剖》(《申报》月刊四卷六号)。

	支出总数[1]（百万元）	军费		政费		债务费		党务费		其他	
		实额（百万元）	占总支出之 %	实额（百万元）	占总支出之 %	实额（百万元）	占总支出之 %	实额（百万元）	占总支出之 %	实额（百万元）	占总支出之 %
十七年度	412[2]	210	51.0	28	6.8	159	38.5	4	1.0	11	2.7
十八年度	529	245	45.5	51	9.5	200	37.1	5	0.9	38	7.0
十九年度	714	312	43.6	60	8.4	290	40.5	5	0.7	47	6.8
二十年度	683	304	44.5	57	8.4	270	39.5	4	0.6	48	7.0
廿一年度	645	320	49.6	77	11.9	211	32.6	5	0.9	32	5.0
廿二年度	769	373	48.5	99	12.9	245	31.8	6	0.8	46	6.0
廿三年度	918	333	36.3	314	34.2	258	28.1	6	0.7	7	0.7
廿四年度	957	321	33.5	347	36.4	275	28.7	6	0.6	8	0.8
廿五年度	1,016	327	32.2	426	41.9	239	23.5	8	0.8	16	1.5

[1] 廿二年度以前，据财政报告；其后为预算概算数。（表中个别数据疑有误差，此次出版保持原貌。——编者注）

[2] 十七年度支出数内，借款拨充中央银行资金二百万元及退还庚子赔款均尚未并入计算。

从上面那张表看来，我们可以知道军债两费在总支出中所占的百分比，在十七年度是八九点五%，十八年度是八二点六%，十九年度是八四点一%，二十年度是八四点〇%，廿一年度是八二点二%，廿二年度是八〇点三%，廿三年度是六四点四%，廿四年度是六二点二%，廿五年度是五五点七%。这单在表面上一看，好像从廿三年度以后，把向占百分之八十以上的军债费，已有一个大大的改善了，然而，在事实上却完全不然，在这里，我们要注意三点，第一，上面那张表中廿三年度以降，只不过是预算数而已；第二，要注意减少的只是相对数的百分比率，年来支出总数，一年膨胀一年，因而相对数虽有变化，而绝对数的实额，并未稍变；第三，我们更不能忽略了廿三年度以降的预算中，所谓军费的减少者，实不过是一个计算名义上之巧妙的烟幕弹而已（详见后）；第四，各省补助费年年增多之实质上的意义，也就是军事费的加多。

军债两费的逐年膨胀，本来是近年各国财政上的通病，但其所占的比率，决不若中国这样大，同时，其膨胀的原因，都由于国防上的关系，而亦不若中国这样是纯然由于内战及给养多数封建军阀之军队的关系。最近列国的岁出，大致情形如次表[1]：

	年度	总岁出	军费		债务费		政费	
			实额	占岁出之 %	实额	占岁出之 %	实额	占岁出之 %
英国	1934	797 百万镑	114	14	224	28	459	58
	1935	834 百万镑	130	16	224	28	481	56
法国	1934	50,163 百万法郎	10,543	21	20,114	40	19,506	39
	1935	47,817 百万法郎	10,010	21	20,006	42	17,801	37
日本	1934	2,163 百万元	942	44	361	16	859	40
	1935	2,215 百万元	1,024	46	390	18	803	36
意国	1934	20,486 百万利拉	5,472	27	——	——	*15,014	*73
	1935	20,965 百万利拉	5,151	25	——	——	*15,814	*75
美国	1934	7,376 百万美金	534	7	1,394	19	5,448	74
	1935	7,752 百万美金	700	9	1,296	17	5,756	74
德国	1933	5,927 百万马克	671	11	519	9	4,737	80
	1934	8,221 百万马克	706	9	576	7	6,938	84

* 包含国债费。

[1] 据日本内阁统计局编:《列国国势要览（昭和十一年）》，九〇——九一页。（此表中个别数据疑有误，此次出版保持原貌。——编者注）

这里，除掉日本因锐意侵略中国的关系，军债费占有着极大的比率，德国因条约关系，军费比较特别少以外，一般都没有像中国那样超过百分之八十的，就像日本那样，一九三五年度，军债费两者合计，亦不过为总岁出之六四%。而中国军务费的膨胀，事实上，又都大部分为内战之故。最近十年来的内战，不下十余次之多[1]：

最近十年来之内战

名　称	起迄之年月日	战期延长时日
一、北伐战争	十五年七月九日——十七年六月四日	一年十一个月
二、宁汉战争	十六年十月二十日——同十一月十一日	二十日
三、讨桂战争	十八年二月二十一日——同十二月末	十个月
四、讨冯战争	十八年十一月中旬——同十二月初	二十余日
五、讨唐战争	十八年十二月下旬——十九年一月十五日	二十余日
六、讨冯阎战争	十九年五月中旬——同十月上旬	四个月零二十日
七、讨石战争	二十年七月十四日——同八月一日	半个月
八、胶东战争	廿一年九月十八日——同十月下旬	一个月十日
九、四川战争	廿一年十月三日——廿二年九月五日	十一个月
十、讨闽战争	廿二年十二月下旬——廿三年一月二十一日	一个月
十一、讨孙战争	廿三年一月下旬——同四月初	二个月十五日
十二、剿共战争	十九年十二月——现在	约五年余

[1] 据李芦洲：《国民政府的政绩》（日译本三二——三三页）。

这许多次内战，以战期言，大都在一个月以上；以战地言，大都及于一省以上。这种比较大规模的内战，不问在战斗的精力上，兵器上，资金上，都需要大量的消费，至于人民财产之牺牲，尤难胜计。这种连年不断的内战，无可否认是构成中国财政上军费加速膨胀的一因素。历届的官方《财政报告》中，对于这一点，也难以否认，“此后财政上之稳定，当视能否避免内战，及消弭外侮为断”（十九二十年度《财政报告》)。“现在赣省匪巢业已摧陷廓清，流窜川黔之一部分，剿办亦极顺利，如匪患能早日荡平则军费之减低，固意中事也。”（廿一、廿二年度《财政报告》)但在事实上，内战之发生，与红军势力之蔓延，自有其存在之根因，决不能贸然下一个“避免”或“荡平”之假定的。“因为中国布尔乔亚政权之运命的脆弱性，所以无法整理多数无用有害之封建军阀的军队，这样，就不能不扶养它们，同时，更不能不增加与改良所谓直系军队。”[1] 在此种情形之下，即不发生内战，每年的军费支出，已无法使之缩减了，而事实上，在此种情形之下，彼此间的龃龉是难以避免

[1] 参照橘朴:《布尔乔亚政权之趋势》(《满洲评论》一〇卷三号)。

的，而内战的避免，也就成为了不可能。至于红军之欲使之消灭，事实上亦非军事所能奏效，赣省被陷，流走川黔，川黔被陷，出奔西北。若红军发生之社会的原因，无法使之解决，则军队力量之追赶，结果不过为“走马灯式”之回转，要说“荡平”，大有“河清何日”之感了。因此，军费之支出，在过去与不改善前提的未来，将成为是永久之癌。十八年编遣会议中，规定每年军费不能超出二万一千六百万元，其后在十八年度《财政报告》中，拟定二十年七月至十月，月支军费二千万元，二十年十一月，在南京举行之财政委员会中，议决规定月支军费一千八百三十万元，廿一年又规定月支一千八百万元[1]，然而事实上照历年财政报告上的数字，十八年度为二万四千余万元，月支二千四百万元，十九年度为三万一千余万元，月支二千六百万元；廿一年度为三万零四百万元，月支二千五百余万元；廿二年度为三万二千余万元，月支二千六百余万元；廿三年度为三万七千余万元，月支三千一百余万元，没有一年不是超过所谓拟定数的。《财政报告》中数字，虽非以应付之年度划分者，

[1] 参照宋子文：民国十九及二十年度财政报告。

但照《财政年鉴》上之记载，以应付年度划分时，则历年实支数如次[1]：

年度	每年实支数（元）	月支额（元）
十八年度	288,222,000	24,017,667
十九年度	374,380,000	31,198,333
二十年度	287,695,000	23,141,250
廿一年度	298,836,000	24,903,000

由此表而观，足见按应付年度划分之实数，亦并没有能符合拟定数的，中国军费在财政上之成为永久的癌，事实已明白的证明了。

廿三年度以后预算上的军费数字，依然每年固定于三万万元以上，月支仍在二千万元以上。不过这一数字，比之廿二年度，当已减少，而在整个支出总数中所占的百分比，亦已减低为百分之四十以下，这在表面上一看，谁也会非常乐观的觉得中国财政是渐上轨道了，但事实上并未如何减低，而是把应该包含在军费中的一部分费用，归入到了别个非军费项目中去计算了，这样，我们是被烟幕弹所蒙蔽了。譬如廿三年度预算中，军费虽仅

[1] 参照《财政年鉴》，二五页。

列三万三千三百万元，但在教育文化费中，却尚有一千五百万元军事教育费，在建设费中，尚有一千四百万元军事建设费[1]，合计则预算军费为三万六千二百万元，与廿二年度实支数仅差一千一百万，因此，真正在廿三年度的军费实支数，也许不会少于前几年度罢。（此文执笔时，廿三年度财政实支数尚未发表。）廿三年度以后两年度的军费预算数，大致情形皆属相同。廿四年度教育文化费中有一千四百八十万元特种教育费，建设费中亦有一千四百万元的军事建设费[2]，此外，年年增加的各省补助费，实则亦不过是各地的军费而已。

这样十年来军费的直线的增加，就造成了十年来债务费的直线的增加，"自国民政府成立以来，国内多故，不得已遂有数次大规模之军事行动，**军费浩繁，税收不足以应，遂不得不时时发行短期公债**，以资挹注。当时市场所能吸收者，亦惟此类短期公债而已。**但递次发行，还本基金与利息之积累日巨，致政府纯收入逐渐减**

[1] 参照徐雪寒：《最近中国财政的回顾和前瞻》（《中国经济情报》第二卷第三期）。

[2] 据王毓霖：《经济统计摘要》，七四——七五页。

少，国库收入不足，则更举新债以补之，遂造成挖肉补疮，循环举债之恶劣状态”。（民国十九二十年度《财政报告》，着重处作者附加。）这是政府当局的自白。历年内债消长的情形，在前一节中，已有一个大致的叙述，从前面那张整理后本息偿还额表上看来，我们可以知道中国财政上债务费的支出，恐怕只会有增无减罢。过去十年中的债务费支出，以民十九及民二十年度所占支出中之百分比为最大（四〇点五％及三九点五％），廿一年度以后，内债方面，因为第一次整理以后，一律延期减息，外债方面，因为各国竞相减低币值之故，支出略形减轻，但数年来，新债依然不断发行，于是债务费之支出，遂又不能不依旧按年递增，廿五年的第二次延期大整理，正是暂时对于目前债务费节约的糊涂政策，廿五年度预算中债务费的减少，正是意味着未来债务费的加大。

财政上公债政策的运用，不仅在社会上将加甚财富分配之愈不平均（参照前节），对于财政上讲，必然会引起浪费的膨胀，十年来中国财政支出之高速度的增加，无论如何我们不能忽略了这个运用公债政策的原因。公债政策与租税政策，其最后的负担，虽然皆为国民的租税，但在政府的举有收入上讲，毕竟前者是容易得多，而亦不易引起国民的反抗，尤其像目前中国发债条件的这样优越（参照前节），更使募债易于举行。募债既易，支出（十分之八九为军务费）亦易浪费，支出浪费，公债更不能不募集，而且更年年加上利息的负担，使每年经费又不能不愈趋增多。转辗进行，积重难返，诚如《财政报告》中所谓"遂造成挖肉补疮，循环举债之恶劣状态"。债务费之支出，遂成为了中国财政经费中之中心。而与军务费之膨胀，并驾齐趋。近年来财政支出膨胀的结果，于是在预算上把毫无政治经济底把握的国家财产收入，国家事业收入，国家行政收入，国家营业收入，协款收入等项目的数字，任意加大一些，以博得一个表面上的平衡，实则事到临头，依然靠举债弥补，把第二年的债务费，又加大一些了事。

这种债务费的重荷，中国政府是无法把它减轻的，对内对外，它都不能不以"债信"为重，这与近几年来世界各国"赖债"的潮流，正成为了绝然相反的两极，中国目下政权的脆弱性，在这里更赤裸裸的暴露着。"两年来内外债价极均有起色”(《财政报告》)，固然有一部分人沾沾自喜，然而，债务费与军事费的同为中国财政上之永久之癌，自已为其必然的运命了。

军费与债务费在经费支出中，既然占着绝对的大比率，当然使其他的费用，不能不缩减了。中国财政上政务费所占比率的小，在世界上任何国家中所找不到的。在民国二十年度以前，政费在总支出中，所占比率都在百分之十以下，廿一及廿二年度占百分之十左右，廿三年度以后，政务费似乎已有一显著的进步，但此毕竟尚为预算数，是否翔实，还不可知，姑且假定其为与实支数无异，但其内容上的分配，也是具备着极大的不健全性的。

	廿二年度（实支数，单位千元）	廿三年度（预算数，单位千元）	廿四年度（同上）	廿五年度（同上）
（1）国务费	15,473	12,788	12,579	13,413
（2）内务费	4,191	4,536	4,371	13,289
（3）财务费	4,917	68,193	66,011	64,516
（4）教育文化费	13,338	33,819	37,213	50,162
（5）外交费	9,921	8,827	9,401	9,799

续表

（6）实业费	1,578	4,134	4,390	5,078
（7）交通费	4,909	5,198	4,929	4,839
（8）蒙藏费	1,577	1,436	1,723	2,078
（9）建设费	6,812	35,989	36,375	52,715
（10）补助费	32,001	82,560	101,980	105,195
（11）抚恤费	1,191	3,762	4,936	5,665
（12）救济费	3,924	——	——	——
（13）司法费	——	2,963	2,835	3,348
（14）国有营业资本		50,319	60,971	96,338
合计	99,833	313,514	347,714	426,435

在这一张表中，可以看出最近三年来的政务费比较廿二年度实支数，显然是增加了。在这个增加中，主要的变动是什么呢?

第一，是财务费的显著增加。在廿二年度实支数中，财务费仅为五百万元，而到廿五年度，已增加至于六千五百万元，仅仅在三年之中，已增加了十三倍。目前财务费一项在中国财政上之地位，已如次表:

	在总支出中所占比率	在政务费中所占比率
廿二年度（实支）	0.70%	4.9%
廿三年度（预算）	7.4%	21.1%
廿四年度（同上）	6.9%	19.0%
廿五年度（同上）	6.5%	15.1%

这种财务费的加速增大，只是表示了消费的加多。东北沦亡以后，东北税收已非我有，当然这些地方的财务费已不必由中央负担，且征税机关数度整理以后，一部分已分别裁并，在理论上讲，财务费亦应逐年减少，然而事实所表示者，却是反而增加。目前，政费中几有五分之一用之于财务费，这显示着如何的不合理哩！

第二，是教育文化费及建设费的增加，这一个增加，事实上是包含着军事费性质之军事教育及军事建设费的，因此，它的增加，并不能完全视为是政务费的增加。而且建设费的突飞猛增，更不能忽略了它有三分之一是利用外资的经委会的经济建设费。像廿五年度预算中，真正的重工业建设费不过仅占百分之一而已。

第三，是补助费的加多。这一现象，不但不能表示中央财政的如何进步，而只是反映出地方财政的日趋穷乏而已。这种补助费的支出，有一部分乃由各省留用国税所构成，中国财政上的封建性，在此已可以明白的看出。而且这种补助费，大部分是用以支应各地军费的，因此虽名为补助费，而实则仍带有军事费之性质。

第四，是国有营业资本一项的新设，这一点，在当局是非常举以自豪的。然而这一项在预算中，却是列入于临时费中，而并非为经常的政费支出。且其实际支出情形究属如何，我们现在还不可知。不过我们仅照预算上的数字看来，可以知道所谓国有营业资本中，以铁道部主管部分所占比例最大，其次为交通部，再次为建设委员会，又次为实业部主管部分。交通建设的猛晋，在中国内外的情势上讲，都是值得细细研究其善恶的，铁道航空愈发展，帝国主义在华的斗争便愈尖锐化，公路愈发展，农民与农村所受的威胁也愈大，粤汉铁道刚好能通车，国内战云便即弥漫，凡此种种（详细让到在交通章中说明），都表示着交通铁路支出的未必一定是好，因此，国有营业资本一项的支出，我们也就不能不怀疑到了它的健全性。实业部近来虽似乎想发展一些国营实业，然而可怜它在国有营业资本中，却只不过占着百分之三而已！

第六章　中央财政之危机

在上面，我们把十年来的中国财政，大致都已观察过了。年年膨胀的经费，在预算上，用虚列税收的方法搪塞了过去。（例如廿三年度关税预算数，高出实收六千七百万元，廿四年度高出二千六百万元。国有营业收入一项，廿三年度预算数为八百余万元，廿四年度即随便加高至四千万元。又如廿四年度预算中，虚列交易税二百万元，所得税五百万元。）在实际上，则以公债借款来应付了过去。但中国财政上的病态与危机，并不能掩饰过丝毫来。我们把上面琐琐解剖所得的材料，归纳起来，在这里可以指出中国财政机构上的两大病态。

第一点我们可以指出的病态，是中国收入中直接税所占比例太少。今日世界各国的财政岁入中，像英美那样直接税都是占着五〇％以上，间接税为三〇％左右，即法德意那些欧洲大陆国家，直接税也都占着三〇％以上，间接税比较也还重要，至于中国目前的情形，则直接税尚不足总岁入之二%，而间接税倒占着七七%以上。换一句浅近一点的话说，中国政府百元的收入中，倒有七十七元是转嫁给平民负担的，而只有一元多是按照着人民负担能力的公平租税。

第二点可以指出的病态，是中国财政支出中不生产支出的过大。军债两费比例的巨大，在前面已经说过，是可以独步世界的，当然反面的结果，是生产的经费过小。在这里，特别可以提出来指责的，是社会的支出之缺如，我们假若把它与各国的情形一相比较，则如次表：

各国各项社会的经费在总岁出中所占比率[1]

	产业补助金%[2]	文化教育费%[3]	卫生费%[4]	社会设施费%[5]	恤金%[6]
法国	7.26	6.00	2.00	2.00	17.05
英国	5.71	6.28	1.63	8.55	10.80

[1] 据赵超构：《中国人民之担税状态》一文中各表并列（《申报经济专刊》一百四十三期）。

[2] 法英德为一九二九——三〇年预算数，意大利为一九二八——二九年。

[3][4][5] 法意德为一九二九年度，英国为一九三〇年度，中国为廿三年度预算数。

[6] 法英为一九二七年度，德意为一九二八年度，中国为廿三年度。

续表

德国	2.76	3.30	0.60	7.73	15.57
意国	9.53	6.85	0.21	2.28	9.96
中国	——	3.68	——	——	0.41

由这张表看来，可知在中国财政上对于社会的经费，殆可以称之为零，这一个病态，我们把它与前述的第一个病态连带起来看，可以归纳说中国财政最大不合理的症结，是取之于民（平民）者多，用之于民（平民）者少。这种不合理继续不断的展开，必定有一天会造成“民穷财尽”的局面，而此种局面在目前已到了揭幕的时候。

中国人民平均每人所得几何，现在虽然还没有精确的统计，但我们可以推论说人民对于租税确已负担不轻了。现在每年六七万万元的中央租税，已使每人平均负担二元左右，再加上种种的地方税，捐派等等，每人所担实已不轻。据前浙江财政厅长徐青甫的谈话，浙省平均每人每月收入仅八角[1]，这样合全年而计之，不过九元六角而已，然而浙江人民所负租税，除中央税二元左

[1] 见廿四年五月五日《中华日报》。

右外，省县税尚须负担一元三角五分三厘（浙江捐税监理委员会发表）[1]，合计已达三元左右，这样浙江人平均实在收入仅六元六角而已。六元六角能维持一个人的最低生活费吗？他若四川等边省，其情形更坏，目前四川全省每年负担二万五千万元省税[2]，以川民四千三百万人平均，每人须担六元左右。再加上二元左右的中央税，每人就已须负八元左右，川民所得几何虽不可知，但决不至较浙江为好，这样，川民不正是在租税的水深火热中勉强挣扎吗？

这种繁重的租税负担，结果无疑的是使全体人民坠入于贫穷的深渊，各地的抗税风潮，与官逼民变（详细请参看下节地方财政），都已是事实的证明了人民对于租税负担已达了极大限度，加之，中国财政支出中救贫卫生等经费的缺如，更使国民的贫穷程度，无法得着稍微的解救，"百姓不足，君孰与足？"而今后财政的危机，也就在此深深的埋伏着了。

最近这几年来的国家税收，事实上并未随着税率

[1] 见廿五年五月五日《东南日报》。

[2] 见廿三年十月二十八日重庆《商务日报》。

的增加而加多，甚至还反比例于税率的增加而减低，这件事实，虽然一部分的原因在于外力的压迫（例如走私等原因），但要亦是可以表示着人民担税力已达到了饱和限度。在此限度以上，若再要增税，不仅在事实上为不可能，抑或可以惹起财政以外的大变乱。公债与借款的方法，在二次公债大整理中，亦已表示着了“此路不通”。这样，年年膨胀不已的财政支出，除掉依靠于“恶性通货膨胀”以外，还有什么方法呢？然而，恶性通货膨胀又果能解救中国之财政危机吗？关于这一点，我曾经在旁的一篇东西中[1]，指出这是绝对不可能。假若所谓通货膨胀，只不过是多印几张“法币”，充当一下财政经费，而不会发生其他副作用的，那么，通货膨胀对于财政危机的解决，也许是一帖“万应灵药”。但是，在事实上，通货膨胀的正面的意义是货币价值减低，反面的意义便是物价腾贵，这正好像是盾牌的两面。物价腾贵的结果，自然便是财政经费的更膨胀，以通货膨胀来弥补膨胀的财政经费，结果徒然是使经费更膨胀，经费更膨胀，通货又更不能不膨胀，于是转辗循环，财政

[1] 参照孙怀仁：《非常时财政与财政的非常时》（《申报周刊》一卷十六期）。

危机既未减轻，而大部分国民倒已在物价暴涨中大破产了，这样更是动摇了依靠间接税的中国财政基础，而中国财政大崩溃的运命是来临了。

这种大危机，目前似乎已正在徐徐的揭幕了！

下编　地方财政

第七章　混乱与黑暗的地方财政

在我写完了中央财政后，而想继续解剖地方财政时，我简直感觉到了无法落笔。“普天之下，莫非王土！”在中国财政史上，中央与地方向来是不划分的，到民国建立以后，才把地方财政脱离了中央财政而独立，但地方财政之纷乱与贫乏，并不因划分而改善。民国廿五年来，各省财政之有预算编制者，先后不过十次，在北京政府时代，仅二年，三年，五年，八年，十四年各年度有预算，到南京政府成立以后，十六，十七，十八，十九年时，虽有若干省具备着预算或收支统计，但大部分皆付缺如，二十年度以后，各省才次第举办。至于县市财政，除沪、青、宁、平四直辖市外，在民国廿四年以前，殆全无预算，廿三年四月，第二次财政会议结果，中央严令各地须废除苛杂与编制预算，到翌年九月中旬止，计全国各县预算已经省府核准者，尚仅七百二十二县，不过占全国总县数一千九百四十一县之三七点一%而已；其余有一九点三%（三百七十四县）在审核中，有三五点三%（即六百八十五县）尚在编送中；此外，有八点三%（凡一百六十县）为东北四省及察省多伦，在失地未复以前，将永远不能看到我们自己的预算的[1]。以上那些已成立的各省县市预算，事实上，都不过是应付手续的官样文章，而很少包含着真实性的，充其量，我们也不过只能从那里观察出一个大致情形而已。

事实上，年来的中国地方财政，不仅支出与收入上为缺少预算，甚至像甘肃省那样在民国廿四年以前，还全省行着最黑暗而野蛮的“拨款制度”。所谓拨款制度，就是使“领款机关”向经征机关就近提去应拨之款的方法。这种制度的发生在民国初年时，原为甘省各县简便

[1] 见孔祥熙氏向五全大会报告。全省各县预算完全核定者，有江苏（六十一县），安徽（六十一县），山东（一百零八县），察哈尔（十五县），湖北（七十县），陕西（九十二县），宁夏（十县），其多数县份已经核定者，计河南有一百十县，广西有八十四县，江西有八十二县，福建有十三县，湖南有十六县。（廿四年十一月十五日《时事新报》）

解款与节省汇费的一个方法，迨后甘省驻军日多，加以地方不靖，地方情形已糟蹋得不成体统了，于是“凡拥有枪支数百杆者，即自称司令；仅募徒手数十人者，亦称官长，是以所谓司令者，到处皆是，彼此各据一方，凡地方政府赋税收入，截不解省，至是原为节省汇费与手续之拨款制度，一变而为截留方法矣”[1]。这种军事割据局面形成了以后，政治上也就变成四分五裂的状态，甘省财政收支，将无法平衡，积欠既巨，应付愈艰，于是历任的财政当局，也就顺水推舟，索性把“拨款制度”作为了应付割据的方法，于是“某区为某部所驻者，即就其地附近各县拨付。……此项拨款命令，每皆无款目可以抵补……倘县府以无款拨付为请，即以勉为其难一纸公文了之。以故县知事因无法应付拨款，被绑游街之事，屡有所闻，甚至有被逼自杀者。而狡猾之县知事，更以一纸空文，分拨于各区镇，于是敲榨勒索，鞭挞伤害之事，无日无之。……”[2]这样一个转拨于区镇的结果，于是“各区复行分拨各乡，层层分拨，提款委员，

[1] 见廿三年十一月二十四日《民报》中央社兰州航讯。

[2] 见廿三年五月二十八日《中央日报》载甘省财厅长朱镜宙氏谈话。

竟向无辜良民，直接索款，较之原定数目，不知超过若干倍，人民对于所缴款项名称，盲然不知，只知交款而已。当提款委员到达县府时，皆随带从兵数人十数人数十人不等，凡饮食马料，率取之县府，甚至纸烟、洋烛、鞋袜、雪花膏、生发油，亦皆向县府索取，此类开支，称为‘支应费’，每县每月最多者达三千元。……”[1]这样向人民直接索款的结果，据说“某县本为甘肃最富庶之区，据秘密调查，去年（民国廿二年）一年之间，因逼饷而拇指被军队悬梁断节者，计一千五百人之多；因负担过重，无法自存，弃家逃亡者，达五万人；强拉牲畜，以充军饷者，更难胜数。……”[2]这样一种黑暗而野蛮的制度，竟还堂堂的存在于中国地方财政中，廿三年朱镜宙长财厅时，曾思改革，但始终又以宁夏战事关系，不曾实行。去年一月起，才勉强把陇东属的平凉等十七县，陇南属的天水等十四县及旧兰山道区的皋兰等十九县，先行废止这种制度[3]；但未曾废止者，依然尚

[1] 见廿三年十一月二十四日《民报》中央社兰州航讯。

[2] 见廿三年五月二十八日《中央日报》载甘省财厅长朱镜宙氏谈话。

[3] 见廿四年二月十三日《申报》兰州通信。

有武威，敦煌等十四县。至于废止后的情形如何，边地道远，我们尚不得其详。

再如四川那样，在今年（廿四年）以前还实行着所谓“防区制度”。每一军阀，割据一区，扩充军额，就地筹款，横征暴敛，自收自支，人民田赋，竟有预征至民国六七十年者，苛捐杂税，更难胜计。此种财政，当然不会公开，而收税又都用“团甲中间代征制”，因此，实际上之收支情形，恐怕各军领袖自身也有些不甚了了。廿四年三月一日起，川政总算统一，但川省财政，依然不过做到了统支，未能做到统收，且财政机关林立，有了省政府的财政厅，还要财部的四川财政特派员，再加上行营的驻川财政监理处，表面上职权虽各不同，但行使不免冲突，而责任也常有不知谁属之感，在财务行政的效率上，恐难有成绩可言[1]。

因此，中国地方财政上之混乱与黑暗，实远在于中央财政之上，而研究中国地方财政者，也就深深的感觉到困难了。在这里，我们解剖地方财政，虽然主要的仍就不能不利用那些“华而不实”的混乱的预算数字，但

[1] 参照廿四年四月十五日上海《大公报重庆通信》。

我们对于这些预算的应用，当然是很慎重的，在可能范围以内，我们还常用旁的记事谈话来补充。我们不想在这里有一个致密的分析，但希望在这里可以把握一点中国地方财政的本质而已。

第八章　地方财政之纵断的及横断的观察

中国地方财政预算的不完全具备，我在前节中已说过了。在这里，我们为要观察出最近十年来的地方财政大势起见，我把最近几年来各省已成的预算与十四年度各省的预算，列如次表：(单位千元)

	河北		山东		河南		山西	
	岁入	岁出	岁入	岁出	岁入	岁出	岁入	岁出
十四年度	9,342	10,962	10,406	17,306	9,327	19,824	7,336	8,021
二十年度	38,153	38,153	24,575	24,757	17,849	17,849	11,349	17,766
廿一年度	23,225	23,225	24,531	24,531	10,127	10,127	13,682	13,682
廿二年度	25,773	25,773	23,575	23,575	11,347	11,347		
廿三年度			23,641	33,641	13,632	13,632		
廿四年度			24,969	24,969	15,367	15,367		

	江苏		安徽		福建		江西	
	岁入	岁出	岁入	岁出	岁入	岁出	岁入	岁出
十四年度	16,777	14,892	6,762	6,472	6,073	13,205	8,214	12,156
二十年度	26,176	26,176	15,586	15,586	27,510	30,839		
廿一年度	17,071	25,618	9,839	9,839	26,180	26,180	17,693	17,693
廿二年度	22,005	22,005	11,128	11,128	16,904	16,904	17,144	17,144
廿三年度	26,896	26,896	11,067	11,067			21,894	21,894
廿四年度	31,644	31,644	11,168	11,168	19,337	19,337	19,049	19,049

	浙江		陕西		湖北		湖南	
	岁入	岁出	岁入	岁出	岁入	岁出	岁入	岁出
十四年度	11,178	14,371	4,849	4,329	8,088	10,975	5,917	6,989
二十年度	25,195	25,195	13,895	20,781	23,600	28,007	17,124	17,124
廿一年度	24,699	24,699			17,024	17,024	15,401	15,401
廿二年度	23,136	23,156			17,620	17,620	15,771	15,771
廿三年度					18,680	18,680	14,088	14,088
廿四年度	21,256	21,256	18,205	18,205	24,554	24,554	16,593	16,593

	甘肃		新疆		四川		广东	
	岁入	岁出	岁入	岁出	岁入	岁出	岁入	岁出
十四年度	2,959	5,259	2,561	4,883	12,545	30,062	12,337	19,662
二十年度			3,206	8,947			34,170	43,095
廿一年度	5,172	5,172					38,283	38,283
廿二年度								
廿三年度	6,984	4,582						
廿四年度	4,727	4,727						

	广西		云南		贵州		热河	
	岁入	岁出	岁入	岁出	岁入	岁出	岁入	岁出
十四年度	4,104	7,469	2,218	4,260	1,496	4,489	959	1,576
二十年度	13,744	11,016	3,125	5,431	2,623	8,926	1,714	2,360
廿一年度	13,243	13,243	3,301	4,319	2,908	6,003	1,585	2,039
廿二年度			3,625	3,625	2,911	6,083	——	——
廿三年度					4,589	5,987		
廿四年度							——	——

	西康		察哈尔		辽宁		吉林	
	岁入	岁出	岁入	岁出	岁入	岁出	岁入	岁出
十四年度	493	2,209	630	1,796	12,394	10,131	8,225	11,931
二十年度			2,348	2,348	——	——	——	——
廿一年度			3,058	3,058	——	——	——	——
廿二年度			3,885	3,885	——	——	——	——
廿三年度			3,524	3,524	——	——	——	——
廿四年度			3,191	3,191	——	——	——	——

	黑龙江		青海		宁夏		绥远	
	岁入	岁出	岁入	岁出	岁入	岁出	岁入	岁出
十四年度	6,668	7,819					531	1,072
二十年度	——	——	40千石 864	5千石 914	1,105	3,261		
廿一年度	——	——	843	926	2,233	2,204		
廿二年度	——	——	843	936	1,435	1,435		
廿三年度	——	——			1,537	1,537		
廿四年度	——	——	1,001	1,001	4,386	3,981		

以上这张表，在材料上讲，虽然未能将全国各省的预算，毫无遗漏的加入（事实上，如东北四省在事变沦

亡以后，已无预算，又有几省，如四川等边疆地方，根本上也就无所谓预算），但中国各省财政的轮廓，大致已不难窥得。

从这张表中，第一个跳入我们眼帘内的，是各省财政膨胀率的过大。我们假若把各省最近数年来的预算数字，拿来与民国十四年度时的预算一相比较，那么，各省都已较十四年度时的预算平均增加了二倍左右。在前面那张表中岁入上膨胀得特别显著的，如察哈尔的由六十三万元增加到三百九十万元（廿二年度），八年中约增六倍以上；其次，如陕西的由四百八十万元增加到一千八百万元，十年中约增四倍半左右；再如河北、福建、湖北等省，十年中的岁入增加，大都在三倍左右；增加率最缓慢的，为云南，但在八年之中也已增六三%以上。至于岁出方面，大致一律都增加了二倍左右。不过我们对于这个岁入增加比率的较大于岁出增加率，却必须注意它是披上着了一重保护色的。

我们必须注意，十四年度的预算，在数字上虽未必可以信而无疑，但财政出入的不能平衡，比较的还能显现出来，上表中各省十四年度岁入合计为一万七千二百三十八万九千元，岁出合计为二万五千二百十二万元，相差赤字即达七千九百七十三万一千元。但二十年度以后各年的预算，大部分在表面上都是预算平衡的，而这一个平衡，完全都是“伪装”，普通在收入方面是“虚列岁收”，在支出方面是“以多报少”，例如浙江的预算中，收入上感到不敷时，即虚列中央补助费一项来敷衍，计廿二年度中列入一百三十六万，廿三年度列入一百八十万元之巨（廿三年七月《东南日报》）。此外，各省亦有虚列债款收入的，亦有虚列税款收入的。按之实际，各省财政无有一省不亏空累累，像浙江省那样，廿二年一年中，财政厅所开出之空头支票，竟达五百万元之巨，所有收入，除田赋及营业税外，均已抵押净尽（廿三年三月卅一日《七十二行商报》）。此种情形，在预算数字上，是绝对看不出来的。因此，上面那一张表中，十年来各省岁入增加率，虽似乎远甚于岁出增加率，但实际上恐未必尽然。我们要看各省财政的膨胀程度，与其取决之于岁入增加率，毋宁是看岁出增加率，来的妥当一些。所以，十年来中国各省财政的膨胀率，我们可以推定平均是在两倍左右。这个增高了两倍左右的地方财政膨胀率，我们把它与近十年来中国经济的衰落程度一相对照，无论如何，我们不能否认这个过大的膨胀，是一种畸形的，不合理的展开。中国中央财政近十年来的膨胀一倍余，已经是值得人们的指摘了，又何况地方财政的膨胀率，又还远驾于中央财政的膨胀率以上呢？

这一个过大膨胀的支出，我们假若就其内容来观察一下，那么，我们可以说，这个膨胀不仅是表示着了中国地方费的放漫，而且说明着了这个地方费分配的不合理。

		政务费	事业费	债务费	其他
河北	二十年度	25.41	18.77	20.00	35.82
	廿一年度	24.02	21.95	12.27	41.72
	廿二年度	29.51	21.84	22.96	25.69
	廿三年度	49.04	28.94	1.74	20.28
	廿四年度	——	——	——	——
山东	二十年度	49.25	25.85	2.53	22.37
	廿一年度	53.89	18.92	3.43	23.76
	廿二年度	58.03	19.71	2.75	19.51
	廿三年度	57.79	20.42	2.51	19.28
	廿四年度	57.24	20.21	2.26	20.29
河南	二十年度	41.72	16.40	27.60	14.28
	廿一年度	51.79	52.56	5.92	9.73
	廿二年度	52.06	32.07	5.38	10.49
	廿三年度	45.51	32.29	5.50	16.70

续表

	廿四年度	47.60	26.64	15.11	10.65
山西	二十年度	18.56	15.43	60.77	5.14
	廿一年度	27.97	17.36	49.98	4.69
	廿二年度	——	——	——	——
	廿三年度	19.48	16.82	59.92	3.78
	廿四年度	——	——	——	——
陕西	二十年度	69.26	17.66	9.15	3.93
	廿一年度	——	——	——	——
	廿二年度	——	——	——	——
	廿三年度	——	——	——	——
	廿四年度	36.56	35.36	8.96	19.12
新疆	二十年度	62.09	35.92	——	1.99
	廿一年度	——	——	——	——
	廿二年度	——	——	——	——
	廿三年度	——	——	——	——
	廿四年度	——	——	——	——
察哈尔	二十年度	67.33	18.31	——	19.36
	廿一年度	27.51	12.18	——	60.31
	廿二年度	38.87	11.17	——	49.96
	廿三年度	46.03	19.97	——	34.00
	廿四年度	55.33	28.32	——	16.35
江苏	二十年度	42.82	42.11	5.14	9.93
	廿一年度	38.51	42.01	14.63	4.85
	廿二年度	44.83	35.19	18.97	1.11
	廿三年度	33.57	48.79	12.41	5.23
	廿四年度	32.50	48.40	13.87	5.73
安徽	二十年度	50.69	37.41	1.68	10.22
	廿一年度	58.09	30.59	7.49	3.83
	廿二年度	52.05	30.55	11.95	5.45

续表

	廿三年度	51.59	30.76	8.10	9.55
	廿四年度	55.30	29.51	12.01	3.18
江西	二十年度	——	——	——	——
	廿一年度	54.28	25.15	——	20.57
	廿二年度	36.35	14.80	11.39	37.46
	廿三年度	50.88	13.34	8.38	2.74
	廿四年度	49.27	16.98	13.34	20.41
湖北	二十年度	52.09	39.00	2.10	6.81
	廿一年度	45.35	22.57	24.88	7.20
	廿二年度	44.48	29.98	22.13	3.41
	廿三年度	51.09	30.02	16.94	1.95
	廿四年度	32.30	26.54	12.29	28.87
湖南	二十年度	50.00	32.66	——	17.34
	廿一年度	47.38	31.47	——	21.15
	廿二年度	41.75	41.93	——	16.32
	廿三年度	47.63	37.07	1.38	13.92
	廿四年度	33.61	34.63	8.78	22.98
浙江	二十年度	44.18	20.23	22.19	13.40
	廿一年度	36.67	16.27	26.03	21.03
	廿二年度	36.71	17.34	28.89	17.06
	廿三年度	——	——	——	——
	廿四年度	42.80	18.69	31.12	7.39
福建	二十年度	38.18	43.55	12.70	5.57
	廿一年度	32.13	56.39	6.95	4.53
	廿二年度	45.31	42.09	2.36	10.24
	廿三年度	40.61	10.07	26.86	22.46
	廿四年度	47.59	26.04	6.34	20.03
广东	二十年度	18.79	19.71	60.68	0.82
	廿一年度	23.93	18.81	52.24	5.02

续表

	廿二年度	25.11	15.85	44.81	14.23
	廿三年度	——	——	——	——
	廿四年度	28.67	20.88	45.26	5.19
广西	二十年度	36.02	58.55	3.63	1.80
	廿一年度	51.90	23.76	1.51	22.83
	廿二年度	43.31	13.95	5.13	37.61
	廿三年度	35.97	21.21	11.71	31.11
	廿四年度	——	——	——	——
云南	二十年度	45.43	33.97	——	20.60
	廿一年度	46.06	41.12	——	12.82
	廿二年度	40.20	45.23	——	14.57
	廿三年度	——	——	——	——
	廿四年度	——	——	——	——
贵州	二十年度	74.26	19.46	0.14	6.14
	廿一年度	62.94	27.07	0.15	9.84
	廿二年度	63.43	28.26	0.15	8.16
	廿三年度	61.80	16.82	0.49	20.79
	廿四年度	53.62	30.73	0.52	15.13
青海	二十年度	79.80	16.92	——	3.28
	廿一年度	66.53	23.92	——	9.55
	廿二年度	65.99	24.55	——	9.46
	廿三年度	——	——	——	——
	廿四年度	60.78	23.49	——	15.73
宁夏	二十年度	89.44	0.20	——	10.36
	廿一年度	61.32	25.64	——	13.04
	廿二年度	64.61	26.49	——	8.90
	廿三年度	66.49	22.15	——	11.36
	廿四年度	22.97	12.41	——	64.62
热河	二十年度	81.74	12.56	——	5.70

续表

	廿一年度	62.25	14.64	——	23.11
	廿二年度	——	——	——	——
	廿三年度	——	——	——	——
	廿四年度	——	——	——	——
甘肃	二十年度	——	——	——	——
	廿一年度	91.00	7.28	——	1.72
	廿二年度	——	——	——	——
	廿三年度	59.54	27.56	——	12.90
	廿四年度	56.13	33.78	3.20	6.89
绥远	二十年度	——	——	——	——
	廿一年度	63.50	27.11	——	9.39
	廿二年度	——	——	——	——
	廿三年度	——	——	——	——
	廿四年度	——	——	——	——
四川	二十年度	——	——	——	——
	廿一年度	——	——	——	——
	廿二年度	——	——	——	——
	廿三年度	——	——	——	——
	廿四年度	70.48	13.45	——	16.07

在这张表里面，政务费是指行政，司法，公安，财务等四种而言，事业费中则包含着教育文化、实业、交通、卫生、建设等五项。从这个表里的资料，我们明白的可以指出中国地方经费分配的三大症结：

第一，是中国地方费支出中，政务费的特别膨胀。

这种发展，正反映出了中国政治的官僚化与割据化。在原则上讲，一个统一的国家，它的地方经费支出，应该是着重于有关地方住民之文化的，学艺的，福利的，救恤的事业，但今日中国地方费中最多的政务费，都与此无关。以一般的情形讲，今日各省的政务费，大多以公安费为最多，行政次之，财务又次之，司法为最少。目前各省的公安费，事实上并非仅限于地方警察，还包含着军队性质的保安队。地方费中要负担此种军费性质的支出，显然是极大的不合理。至于中国司法费之归入地方负担，原说是承审制度未废前的过渡办法，但目前中央财政始终偏颇于军债方面所谓司法制度之改善，最近当绝无希望，因此，这种不合理的过渡办法，也将过渡不完。至于地方财务费的支出膨胀，更是说明了财务行政之不经济与浪费。照廿四年公布之《财政收支系统法》的规定看，教育，文化，经济，卫生，保育，救济等事业费，应占地方总支出之八〇%，换一句话说，也就是地方政务及其他之支出，不得超出于地方总支出之二〇%，然而，最近数年来各省单就政务费一项的支出，已占二〇%以上，而大部分都在五〇%以上。我们根据前面所列的表，可归纳历年各省政务费支出之情形如次：

	二十年度		二十一年度		二十二年度		二十三年度		二十四年度	
	省数	占合计省数中之%	省数	占合计省数中之%	省数	占合计省数中之%	省数	占合计省数中之%	省数	占合计省数中之%
政务费占总支出之10%以下者	—	—	—	—	—	—	—	—	—	—
政务费占总支出之10%至33.3%者	3	15.00	5	23.80	2.	11.70	1	6.60	5	29.40
政务费占总支出之33.4%至50%者	8	40.00	5	23.80	9	53.00	7	46.67	5	29.40
政务费占总支出之50%以上者	9	45.00	11	52.40	6	35.30	7	46.67	7	41.20
合计	20	100.00	21	100.00	17	100.00	15	100.00	17	100.00

从这个统计的结果，很明白的可以知道，今日各省财政收入中，一百元内五十元以上用于政务费者，几乎很普遍的已占到二分之一左右，而这种情形，历年来毫无改善之曙光，就在最近之将来，恐亦无转变之希望。

第二，地方费中政务费所占的比重，既已如前所述，其结果，当然相反的造成了地方事业费的过小。这种事业费的过小，不仅是说明了中国地方财政的无理，而且暴露了中国地方财政当局之“但知取之于民，不知用之于民”。今日各省事业费中，大多以教育文化费为最多，建设费次之，以卫生费为最少。“十年树木，百年树人”，教育在今日之中国，无疑的为重要，据教育部的统计，廿一年全国每千人的人口中，得受初等教育的仅二十七人，得受高等教育的万人中为一人，但今日各省的教育费，在事业费中虽占首位，但在总支出中的比率，平均仅占十分之一而已。下表即为各省教育文化费在总支出中所占的百分比：

	%		%		%
江苏	15.4	察哈尔	12.0	四川	13.5
浙江	11.4	陕西	8.5	广东	9.8
江西	8.9	宁夏	10.0	广西	11.0
安徽	22.7	甘肃	21.0	河北	18.8
河南	15.3	青海	15.1	山西	9.6
福建	8.8	湖北	9.6	云南	23.2
山东	11.9	湖南	16.4	绥远	18.5
新疆	12.4	贵州	10.3	热河	7.8

本表所根据计算之材料，苏、浙、赣、皖、闽、鲁、察、陕、宁、甘、青、鄂、湘、黔、川、粤系廿四年度预算数；桂、冀、晋系廿三年度；滇系二十年度；绥、热系廿一年度；新系二十年度。

其次，所谓占到次多数的建设费，它的支出方向，几乎完全是集中在于兴筑公路。据廿四年十二月经委会的调查，目前各省公路，总延长线已达十六万三千公里。这种公路的建筑，事先盖都不顾及于经济的意义，而专以剿赤军事上的计划为前提，因此，某部分的赤军“荡平”，某部分的公路，即归抛弃，譬如目前江西有许多公路，就都已化成了荒草遍野的废墟。这种公路建筑，除弥费了各省建设费外，往往又多举债应付，或附加田赋，或另征捐税，称之为“专款”，又甚或强使人民无偿的服役。这样的建设，事实上，不仅无所利于人民，抑且反形加重了省财政之困难程度。像目前中国地方财政上这样的建设费，即令所占的百分比很大，也并不足以说明中国地方财政的如何向上。

关于卫生费的支出，通常各省都不过只占到总支出的百分之一左右，而大部分的省份，竟都付缺如。目前中国人民之死亡状况如何，虽无确切的材料可据，但年年大灾以后，继以疫痢，其数一定可观。譬如二十年长江大灾以后，翌年霍乱即流行全国三百零二县，患者达十万人以上，死者计三万余人[1]。其他廿一年之各种流行病，天花蔓延一五七县，伤寒流行一九四县，赤痢猖狂于二〇一县，白喉风行一九六县，斑疹伤寒传播一二五县，猩红热及脑脊髓

[1] 据《中央卫生设施实验处工作报告》。

膜炎皆流行一一八县，鼠疫蔓延九县[1]。事实上，像十七至十九年的西北大旱灾中，人民更是死亡枕藉，即就甘肃一省而论，死亡已逾二百万人。依此类推，廿二年的黄灾，廿三年十一省的旱灾，廿四年各省的水灾，其情形当亦仿佛。年来劫后余生的人民，所供托于政府的捐税，已不可谓不厚，而民间疾苦如此，政府所支出之卫生费，犹不过百分之一而已。此种事实，除掉说明了中国地方财政之绝对不合理外，还有什么呢？

事实上，历年来各省事业费的支出，大部分仅占总支出之三〇——五〇%，五〇%以上者，可说绝无仅有，与《收支系统法》中规定的八〇%，相差尚不能以道里计。且此种事业费，在内容上讲，还以事业行政费占其大部分哩！

第三，在地方财政支出中的第三个洪流，是债务费。此种债务费之支出，以沿海几省所占的比重为大，至于边疆贫瘠之区，一方面因当地人民之无能力贷债于政府，另一方面因为金融机关之不愿冒险为此等省份举债，所以，在目前的情形下，边省债务费支出的比例很

[1] 据内政部报告。

低，或甚至没有。但沿海省份中像广东那样，竟占到六〇%以上（二十年度），山西最高也到过六〇点七七%（二十年度），其余浙、苏、皖、鄂、闽、桂等省，都在一〇%——三〇%之谱。事实上，目前各省所举的公债，多为弥补政务费不足之用，而鲜有用之于生产事业者（详见后），且公债的债权人，什九为高利贷的银行团，因此，这种债务的负担，不仅是完全属于消费性质之“寅吃卯粮”，且使公经济永远成为了金融资产阶级的奴隶，而辗转剥削人民以献纳，年来各省债务费之膨胀，其背面的意义便是如此，其弊害所及，大致与前述中央的举债情形相同。

*　　　　　*　　　　　*

以上所论的地方财政膨胀与经费分配不合理的事态，当然并不限于各省的情形，其他县市等下级地方团体，亦复如是。中国的县财政，向来大部分是无所谓预算的，即有预算，亦不过是“闭门造车”的工作，事实上依然是随时用钱，随时摊派。例如甘省大荔县，预算核定以后，依然摊派至一万二千余元之多[1]，苏省廿二年

[1] 见廿三年一月九日《西北日报》。

度，各县摊派到飞机捐至六万元之多[1]；他如安徽省内，临时摊派捐款，更常有所闻[2]；河北于廿三年秋节，以用款孔急，即向各县预筹摊派，通县一地，即被摊到一万元，“商二民八”支派半数，其余即由商会各区垫借，霸县亦摊到九千元之巨[3]。像这类的事实，真是书不胜书，不特表示了县预算的毫无真实性，同时，也可以流露出了县财政的混乱。民国廿四年以后，全国虽已有七百余县的预算，但准确程度恐怕还是很可疑的。

县预算历年来既不具备，因此，要整个的比较县财政的膨胀程度，自然是很困难，不过它的经费分配之畸形，就我们已知的一部分材料上，已可以看出。下面是江苏[4]、广东[5]、广西[6]、湖南[7]各县及江西南城[8]等十三

[1] 同年一月一日《大美晚报》。

[2] 见廿三年七月十九日《荆沙日报》。

[3] 见廿三年九月十七日《天津大公报》。

[4] 据任宗济:《江苏各县财政之分析》(《社会经济月报》三卷二期)。

[5] 见广东省《统计月刊》一卷三号。

[6] 见《广西年鉴》。

[7] 据《湖南财政》(湖南经济调查所编)。

[8] 据贺渡人:《我国地方财政的一个分析》(《社会经济月报》二卷六期)，南城外之十二县为南丰、宜黄、乐安、黎川、光泽、临川、东乡、余江、贵溪、金溪、资溪、崇仁。

县的支出情形：（单位千元）

	政务费		事业费		债务费		其他	
	实数	百分比	实数	百分比	实数	百分比	实数	百分比
江苏	8,495	27.93	12,644	42.57	73	0.24	9,196	29.26
湖南	8,033	50.95	3,518	26.70	284	2.16	1,344	20.19
广东[1]	6,533	54.86	4,328	36.29	——	——	1,048	9.95
广西	2,559	39.85	3,612	56.26	——	——	250	3.89
江西	561	57.56	268	27.97	——	——	146	14.47

在这张表里所告诉我们的事实，是证明了县财政支出与省财政支出的一样不合理。各省的县政务费与债务费及其他支出之合计，莫不都占着五〇%以上，而与人民福利极关紧要之卫生，救恤，教育，土木等支出，仅为五〇%以下。事实上，这些预算恐尚不足为凭，而县财政中真正能支给为民用的，也许还不到这个预算的数字。

关于市财政的情形，大致亦相同。下表是五直辖市

[1] 此行数据疑有误差，此次出版保持原貌。——编者注

的历年预算：（单位千元）

		二十年度	廿一年度	廿二年度	廿三年度	廿四年度
南京	岁入	21,858	11,774	11,068	6,727	9,320
	岁出	21,858	11,774	11,068	6,727	9,320
上海	岁入	8,198	9,818	11,287	10,528	
	岁出	8,198	9,818	11,287	10,528	
青岛	岁入	4,604	6,266	5,876	6,658	6,342
	岁出	4,604	6,266	5,876	6,658	6,342
北平	岁入	3,484	4,570	5,192		6,223
	岁出	5,069	4,570	5,192		6,223
天津	岁入	4,930		5,867		
	岁出	4,930		5,867		

这里，除掉南京市财政膨胀程度，不显著外，其余都表示着增加的倾向。上海市廿三年度的预算，已比二十年度增加了二七％以上，青岛市廿四年年度数字，则已比二十年度增加了三七％以上，北平市廿四年度的支出也已比二十年度增加二二％以上了，就是天津市廿二年度的预算，比之两年前的二十年度，也已增加了一九％以上。至于南京市，在预算表面上虽为减退，但实则大部分的经费，是由国库所负担之故。这种膨胀的市财政，在其支出之方向上，仍与省县财政同样有着很大的缺点。各市三项经费支出在总支出中之百分比，

如次表[1]：

		二十年度	廿一年度	廿二年度	廿三年度	廿四年度
政务费（%）	南京	11.48	8.44	9.05	20.19	24.07
	上海	38.5	43.33	47.08	48.38	
	青岛	39.75	28.26	32.06	28.04	27.81
	北平	70.56	55.35	53.64		50.60
	天津	50.03		47.82		
事业费（%）	南京	80.13	75.96	62.91	59.18	56.89
	上海	36.88	26.73	30.48	29.81	
	青岛	66.21	42.34	36.76	35.12	40.73
	北平	33.51	38.87	36.91		43.33
	天津	35.7		26.17		
债务费（%）	南京	2.22	12.80	5.26	6.36	6.76
	上海	7.90	6.23	9.76	10.13	
	青岛				14.32	2.64
	北平			2.89		
	天津	0.85		0.94		

这五个直辖市的财政，在纵断的方面，也表示着了膨胀的趋势，在横断的方面，也是以政务费占着绝对的多数。南京在横断的观察上，似乎可以免除了这个通病，但实际上完全不然，因为南京市政务费中最大的公安费，乃由中央经费中所开支，另一方面，因南京市无党务费之支出，因此对事业费方面，可以得着了若干之分

[1] 见廿四年及廿五年《申报年鉴》。

润。又今日各市财政上，除上表中的三项经费外，还负担着种种不合理的支出，这情形尤其以华北三市为最显著。青岛市的支出中，以协助款为最大，这是对于东北舰队饷糈之协助，天津市的经费中，有一笔仅次于公安局经费之支出，称为“协饷及减政节余”，这是对华北驻军及冀省的协助，又在北平市经费中，也像津市一样，负担着华北军事协饷。市财政中而须负担军费，这更是今日地方财政之大症结。近来有一部人虽然在大声高嚷着中国财政制度已如何的改善了[1]，然而事实又是如此，夫复何言？

[1] 如卫挺生在立院纪念周报所报告之《国府成立以来财政制度之整理》（廿五年一月廿七日——廿九日《时事新报》）。

第九章　各省财政之穷乏与苛捐杂税及公债

从前节的观察，可以明白了中国省县市的财政，不但在数量上是无止境的增加，同时，在支配上更多是倾向着于不生产的消费的政务费。这种政务费的支出，皆属一去而不复回归，且对于国民经济上讲，除掉有利于一部分特殊阶级外，可以说是有百害而无一利。加之地方当局，对于经费支出，又不公开，人民但知纳捐，从不问捐作何用。横征暴敛，商民交疲，又加征税官吏的中饱剥削，更使小民无以为生。像浙江那样沿海开通省份，据报告，各县苛杂凡四百五十七种，政府年收额约二十万，但人民实际负担则在一百六十余万元，中饱额竟达十分之九（前财厅长王征莹报告）[1]，此外边疆省份，

[1] 见廿三年七月卅一日《京报》。

更不必问了。事实上，今日各省主要收入的财源，最大的是田赋，其次是货物捐税，而此两者都重重的压榨在小民身上。目前地方财政支出，既不能使小民受利，而收入却必须小民负担，结果，小民遂日渐没落，因此，财政支出虽日见膨胀，而收入却相反的趋于缩小，造成了各省财政普遍的穷乏。

历年各省财政贫乏之情形，我们几乎可以不必旁征博引去说明，但就各省历年岁入预算中补助款及债款两项的消长，已很明白的告诉了我们各省财政是如何的不能自给自足，同时，表明了它财政上亏短的一般情形：

各省市补助款及债款在总岁入中所占百分比[1]

	二十年度	廿一年度	廿二年度	廿三年度	廿四年度
河北	5.63	5.16	4.66	13.27	——
陕西					8.82
山东	——	——	——	——	1.40
新疆					
河南	33.6	24.49	——	——	10.92
察哈尔		9.38	20.33	27.64	18.78
山西	——	1.86	——	18.06	——
江苏	19.36	8.19	19.54	32.00	31.09

[1] 据廿五年《申报》年鉴四三〇——四三二页及四六二——四六三页表编制。

安徽	28.76	34.88	30.18	34.17	32.95
云南	——	29.53	30.59	——	——
江西	——	22.21	23.17	32.73	26.20
贵州	——	——	——	37.04	——
湖北	23.73	25.50	13.07	13.17	25.72
青海	——	——	——	——	12.20
湖南	32.06	11.09	6.99	23.91	23.07
宁夏	——	——	——	——	4.22
浙江	23.01	3.64	5.29	——	1.41
热河	——	38.43	——	——	——
福建	52.49	20.03	26.52	29.08	30.09
甘肃	——	——	——	——	19.35
广东	——	——	——	——	——
绥远	——	——	——	——	——
广西	——	17.49	12.17	5.72	——
四川	——	——	——	——	——
南京	10.98	28.39	30.10	52.55	45.95
青岛	1.89	9.58	10.21	22.47	12.54
上海	——	——	0.35	0.38	——
北平	10.05	14.97	7.40	——	2.38
天津	14.60	——	——	——	——

这里，我们简直可以发见像福建、南京那样，竟有二分之一以上，是要靠补助款及借款来维持的。照趋势来看，此种补助款及借款，在各省各市财政上，已一年重要一年，这正说明了中国地方财政是一天贫乏一天。事实上，地方财政上之列入这许多补助款及债款，

还不过是一种虚伪的平衡预算的手段，按之实际，补助款既不能如数领到，借款又不能如数发行，亏空倒底还是亏空。譬如浙江廿二年度的预算，原不敷一百三十万元，勉强虚列中央协款一项，敷衍了过去，但至年度终了时，终于还是亏空了五百万元之巨（廿三年四月三十日杭州《民国日报》）。浙江原为江南富庶之区，但历年财政亏短，实已共达六千万元，其中公债达四千万元。此外，浙江建设厅方面向民间所发之债，恐尚有二千万元之谱（廿三年十二月二十三日《时事新报》《新闻报》）。廿三年度终了，亏欠一千四百余万（廿四年七月二十五日《申报》）。北方的河北，年来财政，大家佥认差可平衡，但实则不过是将各项债款拖欠未偿，所有临时保管金，如各项保证金，河工专款及部发恤金等，均经挪用，实际不敷，年达百余万元至三百万元；廿二年度计亏五百万（廿三年十二月二十八日《申报》）。滦东战区成立以来，省方税收损失年达三百万元（廿三年三月廿六日《时事新报》），以致最近廿四年度，亏短竟达六百廿万元（廿四年七月十五日《益世报》）。江苏在十七年以前，连年负债达三千万元（张寿镛氏之报告），十九年度亏七百七十万元，二十年度亏一千零数十万，两计已达二千万元之巨，廿一年度又亏三百余万元（据廿三年《申报年鉴》），最近廿四年度预算不敷，仍达二百余万元（廿三年五月二十五日《中央日报》）。所谓“天堂”的江苏，其情形尚属如此，边省之财政困难当更可想见。四川在防区制度未废以前，各区自收自支，全川岁出入究有几何，根本就无法稽考；惟二十一军防区内，收支稍能查考，十年来，计十七年度亏四百万元，十八年度亏四百万，十九年度亏二百万，二十年度亏九百万，廿一年度亏二千一百万，廿二年度亏一千七百万，廿三年度亏四千二百万元，合计共亏九千九百余万（《经济评论》一卷八号）。计截至廿三年止，二十一军防区内所发公债借款已达一万一千九百八十五万七千余元之巨（廿五年四月十五日《上海大公报》），此外又曾发行粮契税券（廿一军总金库所发之钞票）五千万元以上，地方银行纸币在一万万元以上（廿三年十月二十二日《江南正报》）。其他各防区亏短数，虽不甚详，但据《商业月报》十四卷八号所载，二十军月亏二十万，廿八军月亏四十万，廿九军月亏四十万元。甘肃历年积欠已达一千余万元（廿三年五月二十五日南宁《民国日报》），廿二年度决算，计亏短二百四十万元（廿三年十二月九日《西北日报》），廿三年度预算不敷一百五十万元，廿四年度不敷二百五十万元（廿四年五月二十日《大晚报》）。陕西情形，大致相同，在廿三年以前，已亏空一千零四十万元，加以省银行透支七十余万元，共计一千一百十余万元（廿三年七月八日《西北文化日报》），廿三年省库收支，又亏一百十五万余元（廿五年一月十三日《中华日报》）。中部的湖南，截止至廿四年止，历年共亏已达一千八百余万，内计公债库券一千一百三十万元，欠发经费一百八十六万元，借款三百九十三万元，税款抵借一百五十二万元（廿四年九月二日北平《晨报》）。最近五年来的山东财政，则除十九年度盈二百七十万外，二十年度亏二百零七万，廿一年度差可相抵，廿二年度亏十万，廿三年度亏一百七十万元（廿四年四月十八日《益世报》）。湖南邻家的湖北，其情形亦正相同，廿二年以后，虽曾一度加以整理，全恃中央补助三百万元及特税协款四百八十万元以弥补，但自廿四年七月以后，特税协款，已一落千丈，又加水灾之影响赋税，两计每年即须短少八百六十万元，此一巨额，亦即为湖北财政之缺短（廿四年十月九日北平《晨报》)。华南富庶之区的广东，国库省库两项，皆为粤方自理，但以军政费之过大，牵萝补屋，财政缺陷殊大，民国廿一年时，两库平均月收五百余万元，支出七百余万元，不敷竟达年额二千四百万元；廿二年度不敷一千八百四十余万元（廿三年一月一〇日《新闻报》)，廿三年度入不敷出，计二千六百余万元（廿三年十一月九日《申报》)，廿四年度不敷一千五百万元（廿四年八月九日《中华日报》)。华南福建之财政，向来很类似于四川，封建割据的防区林立，军队自收自支，财厅所及范围，尚不及全省之半，“一·二八”后，十九路军入闽，此种局面始有改正，但财政入不敷出的病态，依然故我，廿三年预算，竟亏短至七百六十余万元之巨（廿三年五月二日《福建民报》)；又据前财厅长徐桴报告，谓福建最近每月支出须九十余万，中央月助二十万，税收六十万，每月不敷十余万元（廿三年六月十八日《商报》)，而支出情形与广东相似，军费竟占全支出之四三点八%

（廿四年一月十九日《中央日报》）。中部贫瘠之区的安徽，民十六以来，几全赖鸦片公卖，发行公债，预征田赋等，维持一省财政，假名筑路所发公债，在二十年前的数年中已达六十万元（廿三年《申报年鉴》），廿二年度，亏空至一百余万（廿三年十月十一日《中华日报》）。边省绥远，二十年裁厘以后，每年不敷约五十余万元（廿三年十二月二十一日《大公报》），但至廿一年度，亏短已增至七十余万（廿三年十二月二十八日绥远《民国日报》），军费尚未计算入内。年来情形，每况愈下，财政破绽，较前当已更为显著了。

这样一个普遍的各省财政之穷乏，无可否认的大部分原因是在于经费分配之不当。消费的军事费与畸形的建设费，造成了经费之加速膨胀，又加之以财务费的浪费[1]

[1] 例如廿三年全闽三十五个税务局中，其经费估税收之一〇〇%者有六局；占八〇%以上者，有六局；占五〇%——八〇%者，有十局；占五〇%以下者，为十三局，其中仅有四局之经费，占税收之二〇%以下。（廿四年三月七日《中央日报》）像这样的浪费财务费，实为今日各省通有之现象，结果，税收既无有助于省财政，而徒使小民加重负担而已。

与收税吏的中饱，及行政首领的滥用[1]，使岁入无论如何不能应适了庞大的岁出。像四川二十一军防区内之财政，十七年度收入为一千二百万，廿三年度收入为四千九百万，八年中计增加了三〇〇%，这本来已是值得我们的咋舌了，可是它的支出增加率，较此还要快，十七年度为一千六百万，廿三年度为九千万，八年中计增加了四六二点五%[2]，因此，十七年度尚不过亏四百万，而廿三年度已亏四千二百万，刚刚增加了十倍。

历年来这样继续不敷的地方财政，若当局果真有意于改善，那么，早就应该向经费支出方面，下整理的工夫了，可是，事实上呢？地方当局不但是只知增加捐税，滥发公债，滥向银行借款，甚至自设银行，滥发钞票，以补苴亏短，另一方面，还尚在接着膨胀不合理的支出。各省最大财源的田赋及捐税之变化，可看下表：

[1] 如河南省预算中的全年临时费，原定三十万元，孰意不到半年，各项杂款支出，已超原定支出之四五倍以上矣。（石西民：《最近各省财政的穷乏及其救济》）又目前湘省财政中，临时经费亦系漫无限制，亦有使人不堪问闻之慨。（参照廿四年五月十日北平《晨报》）

[2] 参照廿五年四月十五日《大公报》。

十年来各省田赋及捐税收入之指数[1]

	田赋		捐税	
	十四年度	廿四年度	十四年度	廿四年度
山东	85.6	166.9	118.2	385.4
河南	71.0	103.0	95.2	154.9
陕西	62.9	136.9	64.5	79.6
甘肃	100.7	116.6	68.1	88.8
察哈尔	157.0	174.3	40.6	472.0
江苏	76.6	114.2	125.4	95.0
安徽	94.7	98.9	89.4	87.0
江西	80.7	128.2	90.1	106.6
湖北	82.2	58.5	71.6	59.7
湖南	84.0	88.6	83.7	51.9
浙江	76.9	113.7	83.5	125.6
福建	99.1	82.0	92.5	219.9
广东	88.3	138.1	49.9	165.1
四川	99.9	100.5	119.6	522.8
贵州	——	——	96.7	879.6
平均	96.2	115.7	86.0	232.9

从这个表一看，我们的脑筋中似乎可以浮起一个印象，就是各省田赋与捐税，并不增加得怎么利害，好像田赋在十年间中，平均只增了一九点五%，捐税平均只

[1] 参照《中行月刊》七卷一期《民国以来各省主要收入之分析》及廿五年《申报年鉴》。原表中所列省份尚多，兹以便于比较及平均计，择其指数完全者，列表如上。凡廿四年度指数缺乏者，概行割爱。（民国五年度 = 100）（表中个别数据疑有误，此次出版保留原貌。——编者注）

增了一四六点九%，在这里，而且容易引起一个错误的结论，就是说各省财政穷乏的原因，是人民负担不能比例增加的缘故。我们单就这张表上的材料来说，这结论似乎是不错的，但是我们必须注意，这指数是根据各省预概算所算出的，因此，在田赋中是并不包含所谓田赋附加税，而捐税中，也仅限于几种正常捐税，而一切苛捐杂税，都未曾包含在内。目前各省的田赋附加的情形，据《财政年鉴》所载各省呈报之数，有如次表[1]:（单位百万元）

	正税		附加	
	省正税	县正税	省附加	县附加
江苏	12	3	5	17
浙江	10（6）	——	9	——
安徽	4	——	6	——
江西	9（4）	——	6（4）	——
湖北	3（2）	——	2	——
湖南	6	——	12	——
四川	1	——	6	——

[1] 本表据《财政年鉴》二〇二〇——二一二七页。数字单位，依四舍五入法改换为百万元。省县正附分列者，仍分列之；不分列者，概列于省正税及省附税下。正税下括弧内之数字，系实收额，附税下括弧内之数，系核定数。（此表中数据疑有误，此次出版保留原貌。——编者注）

续表

西康	3万石	——		
福建	3（2）	——	1	——
广东[1]	0.3（0.2）（大洋）	0.08（大洋）	——	——
	6(5)(百万毫洋)	2（百万毫洋）	——	——
广西	2	——	2	——
云南	1	——	0.1	——
贵州	1	——	——	——
河北	6（4）	——	5	——
山东	15（14）	——	2	
			9千吊	——
山西	6	——	1	1
河南	7（5）	——	1	11
陕西	5（3）	——	1	——
甘肃[2]	1	——	0.3	——
	16万石			
宁夏	0.6	——	1	0.1
	2千两			
	1千石			
青海	39元[3]	——	0.01	——
	5万石（4万石）			
察哈尔	1	——	1	——
绥远	1（0.4）	——	1	——

[1] 广东自十九年后，将附加等，一律并入正税，另颁新律统一征收，以八成归省，二成归县。

[2] 甘肃正税中，计分五项:（一）地丁;（二）本色粮食;（三）折色粮食;（四）杂赋;（五）草束折征。以上除第二项以石计算外，其他为元。

[3] 青海田赋以石计算，此三十九元乃大通县之“番贡马价”。

续表

新疆	3	——	1	——
辽宁	5	——	10	——
吉林	3	——	6	——
黑龙江	3	——	3	——
热河	0.3	——	——	——

从这个表的材料，我们看出各省附加占正税的%是[1]：

江苏……147%　　浙江……150%
安徽……133%　　湖南……200%
四川……600%　　福建……200%
河北……125%　　河南……240%
绥远……250%　　辽宁……200%
吉林……200%

其他各省，附税大致与正税相等。实际上，这还不过是一个各省的平均数，有些县份，竟有附税超过正税二十五倍及十六倍以上的，如江苏的海门及如皋[2]，此外，附税超过正税十倍的，更比比皆是。目前各省田赋附加的种数，有如下表[3]：

[1] 比例照前表实收额计算。

[2] 见江苏省《田赋正附税统计表》(财政厅)。

[3] 邹枋:《中国田赋附加的种类》(《东方杂志》三十一卷十四号现代史料栏)。

黑龙江……15	辽宁……3	察哈尔……8
宁夏……4	青海……1	陕西……9
河北……48	河南……42	安徽……25
湖南……23	四川……20	贵州……0
西康……—	福建……14	蒙古……—
吉林……3	热河……—	绥远……—
新疆……5	甘肃……13	山西……30
山东……11	江苏……147	湖北……61
江西……61	云南……17	广西……15
浙江……73	广东……25	西藏……—

由此足见除贵州一省无附加外，最多者竟至一百四十七种之多（江苏）。各省田赋的附加，在北京政府时代，限定不得超过正税之三〇%[1]，但至国民政府成立以后，十七年变更旧律，规定“附税不得超过正税一倍，正附总计不得过地价百分之一”[2]，即所谓“百一限度”。可是这一个改革，不仅不能限止附加，反而使一部分地方，多了一个增加附税的口实，例如前面所举江苏的如皋，附税虽已很重，而正附尚不及地价之百一，奸胥猾吏，反多借口，而有些地方，正附虽已超过地价之百一，

[1] 参照贾士毅:《民国财政史》，一一二页。

[2] 参照十七年十月财政部所颁《限制征收田赋附加办法》八条。

而以附税不及正税一倍[1]，又可借口增加了。廿二年遂再度更正[2]，改革后的大意，是“地价已经查报的地方，规定正附合计不得超过地价百分之一；地价未经查报的地方，规定附税不得超过正税之一倍”。这一改革，较前虽已进步，但衡之目前的事实，各省附加平均多已超过一倍，前面那张“附税占正税之百分比”的表中，已明白的指示着。至于不超过地价百一的限度，亦已不能成立，民国廿三年全国廿二省平均田赋所占地价之百分比，即如次表[3]：

水田	平原旱地	山坡旱地
3.05%	3.26%	3.46%

田赋除附加以外，更常用预征的办法，以剥削人民，这里以军阀特别横行的四川为尤甚，最多者，有征至民

[1] 如江苏的镇江，有地八十四万余亩，约合地价为五千八百余万元，百一限度，应为五十八万余元。但现征正税三十三万八千余元，附税三十二万二千余元，合计为六十六万一千余元，已超过地价百一限度之〇点〇一四%，然附税对正税而言，尚不及一倍。其他武进、无锡、昆山、吴江、松江、青浦、奉贤、金山、上海、太仓等，情形皆属相同。（参照江苏财政厅:《江苏省田赋正附税统计表》）

[2] 参照廿二年五月，行政院所颁《整理田赋附加办法》十一条。

[3] 据《农情报告》三卷十二期。

国一百余年的了。关于四川田赋之预征，有下面那样一个可惊的资料[1]：

征收者	预征年数	一年所征次数
二十军	五十年	六
新六师	五十八年	十
廿一军	二十二年	四
黔军教导师	三十三年	三
廿四军	二十五年	二
廿三师	六十年	三
廿八军	七十四年	十四
廿九军	六十六年	十二

这种田赋的预征，在别的省份，也是存在的，陕西沔县已把民国廿七年的粮，在二十年三月收去了，福建漳州的民国卅年的粮，已于十八年缴纳了[2]，此外，预征一年二年者，更是车载斗量的不遑枚举了。

各省除掉这样横征暴敛田赋以外，还存在着种种苛捐杂税，一物数税，易地即捐，“即以猪一头，自出生以至屠宰，有小猪税，猪行牙税，牲畜税，猪驳税，屠宰税，没血毛税及附税等不下十数种。又四川资中至重

[1] 参照《四川月报》廿八，廿九号（重庆中国银行）及《申报月刊》四卷六号。

[2] 满铁上海事务所:《中国币制改革之研究》，一七一——一七二页。

庆，不过数百里，但厘卡有二十一处，白糖一包，纳税至十二元五角二分”[1]。这种情形，实际上不仅是边省为然，江南富庶之区，亦复如是。而且有许多苛税年收极微，如江苏昆山的第二区小猪捐，年收仅八元[2]，山东淄川的小车捐，年收仅九元[3]，同省金乡的芝麻行捐，年收仅七元[4]，更甚至如同省定陶的猪毛行捐，年收只有三元[5]。此外，十元廿元之捐，更属举不胜举。事实上，这种苛细收入，徒使小民增加负担而无所补于地方财政的。目前全国各省，究有若干种之苛杂，这就无人可以知道，省有省苛杂，县有县苛杂，或附加于其他正常租税，或单独另成一捐，据财政部长孔祥熙在六中全会及五全大会中的报告，从廿三年七月一日到廿四年八月底止，全国各省已裁废苛杂达五千余种，计五千万元[6]。但此裁废，尚不过为第一二批，据说今后还要三批四批

[1] 见赋税司长高秉坊在中央广播电台之报告（廿四年六月十二日《民报》）。

[2] 载《财政年鉴》，二二六六页。

[3] 同书，二三二五页。

[4] 同书，二三二九页。

[5] 同书，二三三二页。

[6] 见廿四年十一月十五日《时事新报》。

的续裁，由此我们可以推想，全国之苛捐杂税，当在万余种以上，或甚至会到数万种之多罢。

这种苛捐所及的范围，几乎已是无微不至，活人抽捐不必说，甚至死人棺材，亦须纳税（廿四年九月十一日《中华日报》载粤省梅县苛捐）；有钱开店纳“营业税”，蚀本关店，也要“歇业费”（廿四年二月十四日《大公报》涿鹿通信），摆一个地摊，又须“弹压捐”（廿三年九月二十四日《京报》）或“地皮捐”（廿三年六月七日北平《晨报》赵各庄讯）。人民一举手，一投足，莫不处处是捐。房有房捐，食井锅灶有“井灶捐”（廿四年四月二十九日《工商日报》紫金县讯），柴、米、油、盐、酱、醋、茶，更是样样要抽捐纳税，家里供一个祖先堂，要征“祠堂捐”或“大厅捐”（潮州等各县廿三年十月二十九日北平《益世报》）；过路过河要纳“过路捐”“过河捐”（廿三年七月二十五日《大公报》静海讯）；讨老婆缴“新婚捐”（廿三年四月二十四日《申报》汕头通讯）；抽鸦片出“红灯捐”（廿三年七月二十六日重庆《商务日报》彭山讯）；救济难民纳“难民捐”（廿四年七月十五日重庆《商务日报》大足通讯）；妓女要由万卉公司抽“花捐”（廿三年八月十二日《益世报》广州通信）；国难严重，卷烟业要付“加一救国捐”（廿三年八月十三日《申报》）；请客纳“筵席捐”，坐车船有“交通附捐”（廿三年八月二十七日《申报》杭州讯）；军民间竟还要什么“感情捐”（廿三年八月二十五日外论社新闻稿四川讯）；再等而下之，倒粪缸亦须“粪捐”（如江苏南通）或“屎桶捐”（广东潮阳县）。此外，政府每办一事，必增一捐。据《大晚报》（廿三年八月十四——十七日）调查皖北的情形，苛杂可分为二大类，一种是政府捐（地方政府命令人民缴纳的），一种是地方捐（土豪劣绅假名自治团体征收的），前者中有二十项，即剿匪费、防赤费、枪捐、筑路费、电话费、招待费、飞机捐、公益税、赈灾捐、警备队经费、教育经费、税契附加捐、保甲经费、烟酒捐、牲畜屠宰税、提厘捐、行帖捐、门牌捐、殷富捐、公债捐，后者中亦有自卫团体经费、门厘捐、纱布捐、斗厘捐等十五项。一隅三反，他省的情形，大致皆属相同。

以上种种情形，还是及于人民一般日常生活的苛杂，其他在货物的流通上，更是横征暴敛，据《大公报》

记者的调查，川产丝织品，在成渝嘉三地，沿途每挑的捐税如次[1]：

（甲）自成都至重庆	（乙）自嘉定至重庆
一，成都——出关统税五元，出关税二元五角，印花六角，剿匪捐七角五分； 二，简阳——护商二元，护商费一角二分，剿赤捐二角，印花六角六分； 三，乐至——护商三元，剿赤捐三角； 四，安岳——印花二元，剿赤捐二角； 五，潼南——护商二元，剿赤捐二角，印花四角； 六，铜梁——山防捐一元二角，剿赤捐一角二分； 七，璧山——山防捐三元，清乡费三元六角，剿赤捐六角六分； 八，重庆——遗爱祠及护商一元六角五分，渝北一元，印花一元，剿匪捐三角六分五厘，马路，自来水电力厂九角二分。	一，嘉定——统捐六元，剿匪捐六角，护商十二元五角，剿赤附加一元三角七分五厘，印花一元二角五分，商会经费七角，牛佛渡护商四元八角，剿匪捐四角八分，马方桥护商三元，剿赤捐六角，双石桥山防三元； 二，重庆——遗爱祠护商一元六角五分，渝北一元，印花一元，剿赤捐三角六分五厘，马路，自来水电力厂九角二分。
共计——每挑纳税三十三元四角四分五厘	共计——每挑纳税洋三十九元二角四分

又如由重庆购买杂货一百元，运往成都，途程仅八百二十里，统计税捐约在百元左右[2]，平均每行一里，

[1] 见廿四年三月二十七日《大公报》。

[2] 据《中行月刊》七卷一期，罗从豫文。

货物成本即增高一角二分了。即此二例，我们已经可以充分的想像到苛税之病商，其他各省，虽不如四川之甚，但亦不过是程度上的差别而已，例如由新疆运羊毛一百斤至绥远，沿途捐税脚价，即须二十元（廿四年七月十五日绥远《民国日报》)。

在本质上类乎这种苛杂的，还有所谓摊款及陋规。摊款在边疆各省，特别普遍，如甘肃拨款制下的杂摊，前面已既讲过了，其他各省如绥远归化负着极重的“地亩摊款”，计每顷年摊三十三元（廿四年七月十三日绥远《民国日报》)；山西各县有所谓“地方自治摊款”，按亩，按户口，或按粮银征收(廿四年八月二十九日《大公报》)；河北全省尚有四十六县，存在着“地方摊派”，款额共达百余万元，多用为团警之饷款（廿四年五月二十五日《益世报》)；玉田一县，从民廿年至廿三年的三年中，临时摊款达十五万六千余元，负保卫团经费十四万八千余元，两计共有三十万元之多（廿四年二月十二日《大公报》)；战区的滦县，地方各款，皆按商四民六摊派，民国廿二年县属第三区，竟每亩摊到七八元至十数元（廿三年九月十三日《大公报》)；此外，河南的辉县，人民虽已十室九空，派款依然急如星火（廿三年七月二十日《郑州日报》）；安徽歙县的防务用费，亦都由各区摊筹（廿三年十月十五日《徽州日报》）。至于陋规一种，各省各县皆有，例如安徽潜山一县，陋规即达十数种之多，如过堂费、过堂礼、记录费、茶水费、检验费、羁押费、保释费、销案费、点卯、征夫、传案、催粮（廿三年五月十三日《大公报》），此种陋规，半作补助行政费用，半作胥吏中饱之资。

这样重重剥削的结果，地方骚然，人民之胆小者，没办法中设法来“出钱买安”（皖俗语），于是如某地农民朱小二，鬻妻得八十元以完课（廿四年一月十三日《人报》），或如兴宁萧炳佐者，以九十元出卖全家幼女六口以图存（廿三年一月五日《申报》）；狡猾者凭借洋人势力以抗官，如厦门商人之纷纷加入外籍，以求避税（廿三年十月二十日南宁《民国日报》）；最后，有一部人民，钱既无法可设，逃税又不可能，于是只能出之于反抗。反抗中之比较消极的，于是罢市停业，例如包头商家，以营业税苛重，联合歇业，在门上高悬一纸，“本号因营业税征收苛重，无力缴纳，兹经股东与经理等研商再三，不得已宣告歇业，待机重张。”（廿三年一月二十二日《包头日报》）；安徽祁门因营业税局征收员之迫征行凶，也曾激成全城罢市以反抗（廿三年六月二十四日《徽州日报》）；他如江苏无锡，因酒税征及农民，华大庄千余家农民遂联合停歇副业（廿三年十一月二十七日《大公报》）；苏省江都，亦曾因胥吏敲榨，激成全城罢市，各店门首之标语，上书“营业税局强暴胁迫，逮捕店员，拘押入狱；一致驱逐宋毅不去，誓不甘服。”（廿四年四月八日《苏报》）。此外，粤省惠阳各乡渡的罢运抗捐——码头费（廿四年四月三十日《七十二行商报》）；邢台煤商的反对增税而罢市（廿四年七月六日《大公报》）；苏北泰兴酒商的停业罢酿（廿四年九月四日《申报》）：都是此种消极反抗的表现。消极之不足，自然更进而为悲壮的武力冲突了：例如广西苍梧东安区与广东封川县接壤之地，当局曾设立木双分卡征税，年前因该卡派兵到黎壁墟查税，该地商民村民遂武力阻止渡河，并鸣锣起鼓，四面登山守卡，包围袭击，同时大呼“打倒分卡！”“缴枪！”（廿三年一月三十日《新闻报》）；又如广东鹤山，因创抽屠捐，激动屠夫之愤，将该捐承商公司，放火焚毁，并将承商林善夫戮毙，酿成一大血案（廿三年一月十七日《七十二行商报》）；又如浙江余姚四区兰塘乡乡民，因抗缴酒捐，于廿二年三月曾将该县公安局焚毁，翌年三月，因承包该捐之丘长严四已将酒捐填交捐局，于是陶家丘乡民五百人愤而将严四家之房屋焚毁二间，并将器皿捣毁，复将严四捆绑吊打，后由士绅出而说情，命严某先行具结，嗣后如再有收取酒捐情事，先要通知伊等，定要将收捐者个个打死（廿三年三月二十九日杭州《民国日报》）；再如河北邢台皮商，因当局强征学捐，最初消极的罢市匝月，毫无结果，于是皮商纷纷迁往沙河营业，不期行走时警察竟干涉出境，双方遂生冲突，演成流血惨剧，督察长庄某，亦被皮商殴伤（廿三年十月三十日《大公报》）；川南雷波，因勒逼人民种烟，并预征田赋，该县法团纷起反对，均被县署逮捕，且派手枪队在街上暗暗捉人，结果引起四乡民变，流民闯入县署，将县长雷氏头斩伤（廿三年十月二十九日《大公报》）。

各地抗捐运动之频发，一方面是表示了人民负担力已达极限，同时，说明了田赋与苛杂之对于地方财政，已成为强弩之末。因此，年来各地膨胀之财政，在苛杂以外，仍不能不乞灵于公债与借款。据《财政年鉴》的记载，连年各省总共所发公债，有如次表[1]：（单位千元）

民国十六年	同十七年	同十八年	同十九年	同二十年	同廿一年	同廿二年	同廿三年	共计
3,000	8,500	4,100	22,500	22,500	19,500	——	53,400	170,900

但这个统计中的地方公债，是仅限于财部之有案可稽者，因此，显然，是不完全的。我们据新闻的报道，廿三年中各省公债及借款之经中央核准者，有九千九百万元[2]，其中公债部分占八千万元，以此数与前表内廿三年相比，就可知前面那张表，与实际情形相差很远。又据《申报年鉴》所编的历年地方债发行额表看，则其大致的趋势如次[3]：（单位千元）

[1] 见《财政年鉴》，二四一四页，表中包含江苏、浙江、安徽、湖北、湖南、福建、广东、山西、河南、辽宁等十省及南京、上海、杭州、汉口四市。

[2] 见廿四年二月九日《时事新报》。

[3]《申报年鉴》，五二四——五二五页，惟原表中有若干年之合计数与省市县公债额共计不符，不知是否系印刷误植，因无法更正，姑仍其旧。

	省公债	市县公债	合计
十六年以前	64,778	3,217	67,995
十六年	12,020	510	12,530
十七年	8,500	93	8,593
十八年	18,885	4,566	23,441
十九年	15,615	4,604	20,256
二十年	33,411	932	34,144
廿一年	39,493	6,816	46,309
廿二年	43,850	347	44,197
廿三年	73,300	4,090	77,390
廿四年	168,600	3,420	177,800
总计	478,452	28,595	512,655

这一个统计，比较前面那张表，当然要完备得多，但事实上，恐遗漏而未列者还很多，据我们知道，四川廿一军所发公债，有一万一千九百八十五万七千余元（廿五年四月十五日《大公报》），而该统计中，仅列入六千万元。不过就由这一部分的统计材料，已不难看出列年地方债继续增长的趋势了。我们假若以十六年的发行额作为一〇〇，那么廿四年应为二六二，九年之中，计增加了一六二%，将近三倍。

这种地方公债的发行，与中央发债的情形，正相类同，我们可以由下列的三点，指出它的不健全性：

第一，今日之中国地方债，都是寅吃卯粮的用为弥补财政的，因此，各省市发债之初，表面上虽皆有还本付息基金的指定，但实则到期以后，基金都是无着，于是，为要维持债信起见，临时就举一笔短期借款充作基金。这种短期借款日积月累的结果，遂再化为一新债券以整理。目前浙江、江苏、广东、湖北等省，都是如此。这样“螺旋形”的借债还债，使财政上的债务费，日益加高，亏短日大，于是就更不能不发债。

第二，从地方债的用途上来讲，大致是充作政费用的，债券用途的名义，不妨是生产事业，或是筑路建设，但实际上却正完全相反。譬如安徽十六年至二十年所发筑路公债五十六万余元，都用作为了弥补财政，何尝有半条公路给人民看见？又如民国廿三年的浙江地方公债，条例上载明得更是冠冕堂皇，说是发展地方生产事业用的，然而事实上却是分批向银行押款，抵充政费或拨充旧欠者，约占十之七八（财厅长徐青甫报告）[1]。此种情形，当不仅皖浙如此。

第三，可以指出来的，是地方公债受金融资本家的

[1] 参照廿四年五月七日《东南日报》。

剥削，因为各省公债的发行，都是先向银行抵押的。折扣自二折起不等，譬如廿三年湖北建设公债六百万元，向银团只押得一百万元，相当于一折七扣余，又如历年江浙两省的省债，通常都以六折向各银行抵押的，同时，此种抵押借款的利率，在八厘至一分左右，这样，银行所获得的利益是如何大呢！如以湖北之建设公债为例，该债年息六厘，六百万元年息应为三十六万元，再加上百万元押款之八厘利息，共为四十四万，那么，百万元的押款利殖率，应合四分四厘，这是何等大的高利贷！事实上，抵押的公债，最后通常以七八折作价了结，很少如数收回的，那么，银行的好处，当然更是不可思议了！而人民经过政治机构的损失，也就可想而知了。

除掉公债以外，地方政府还常用未来的租税收入，向地方银钱业抵借现款，譬如廿三年，浙江曾以田赋收入，向绍兴银钱业抵借十二万五千元，继又以箔捐抵借五十万元。诸如此类之事实，日有所闻，使地方银钱业之势力倾入到了地方财政之机构中。不过此种借款，在金融界讲，比之公债抵押的利益，要差得多，因此，它们并不十分希罕，如杭州金融界曾致函财厅表示拒绝借款，函中略谓："各银行资金，现因借款呆滞，及营运困难，当此银根紧急中，实属难以周转，嗣后再有借款，未能应付，请烦查照。"[1]由此，已可见银行对于借款之态度了。

[1] 见廿四年五月九日《新闻报》。

第十章　第二次财政会议与地方财政

上面的那些叙述，我们简直是无异于描写了一幅阴惨惨的地狱图。十年来人民在地方财政榨取上所受的痛苦，也就无异于在惨酷的“尖刀山”上打筋斗。

民国廿三年五月，财部为解救人民之倒悬起见，于是召集了一个第二次全国财政会议，到会者有各省财政的负责者，又有所谓“专家”，济济一堂，开始研究如何改善地方财政，减轻人民负担。这正好像地狱中闪出了一道光，然而，光毕竟是不可捉摸的，充其量，不过是一闪而已。

这次会议，为期七日，这里当然有一部分时间是为谒陵，游湖，恭聆政府要人之演说，主席院长之训话所消耗的。会议结果，成立了议案百余件，主要的是如次[1]：

（一）整理田赋——大致的方法，是（甲）举办陈报，如所报地价可资为按价征税之依据者，即依报价划分等级，按百分之一征税，附税名目取消；（乙）不能按报价者，即参照报价与收益，将原有科则，改并为新等则征税，附加不得超过正税；（丙）自廿三年起，不得再增附加；（丁）摊派应严加禁止；（戊）附加带征期满者，应即取消；（己）附加超正税者，应即递减，并以土地陈报所增赋额，充抵补减轻附加之用。

（二）废除苛杂——先规定苛杂之范围为六项：（甲）妨害社会公共利益；（乙）妨害中央收入之来源；（丙）杂税；（丁）妨害交通；（戊）为一地方之利益，对于他方货物输入为不公平之课税；（己）各地方物品通过税。

关于捐税整理之程序，规定各省应将合法捐税名称，用途，税率等报部，同时，规定各省不合法之捐税，财部得随时制止撤消之。至于前列六项之苛杂，统自民国廿三年七月一日起至民国廿三年十二月底止，一律裁

[1] 参照《财政年鉴》，二二五九页及廿三年七月二十二日——二十八日平津沪各报。

除。但如各省果有特殊情形，未能遵照废除者，得专案呈部核办，至废除苛杂后之抵补办法，亦以另案核议。

（三）抵补办法——整理地赋及废除苛杂后，地方财政上所生不足之抵补，规定（甲）各省市预算先自紧缩，删除浮滥，节省之款为第一抵补；（乙）各省捐税整理增收之款，为第二抵补；（丙）中央以烟酒税全部划归地方办理，并以印花税提拨一成归省，三成归县，二成接济边远贫瘠省份，为第三抵补；（丁）各地方所负担之司法经费，俟财政部与司法行政部妥筹负担办法，俾地方得减支出，其原负担部分，应作第四抵补。

这些决议案，单由表面上看来，似乎够得上称为洋洋大观了，但实则都是些不具实现性的纸上谈兵。如今，会议已经过去了两年，两年来的事实，更是说明着了这个第二次全国财政会议，依然蹈了历来“决而不能行”的覆辙。

我们从前面几节的叙述，可以明白的看出了今日中国地方财政最大之症结，实为经费支出之不合理。与地方政治机构之封建化官僚化，至于目前之苛捐杂税的叠床架屋，不过为此种不合理的一结果。因此，整理田赋与废除苛杂，决不能构成为了整理地方财政之中心问题，而主要的关键，是在于如何能消灭了那种造成苛捐杂税之因素。财会决议案中，虽曾于废杂后的抵补办法中，第一要各省紧缩预算，而这紧缩预算，似乎已是触着了苛杂之根本原因，但单谈紧缩预算，而不顾到了中国地方政治之官僚组织与封建组织，试问紧缩将如何实行？中央能有强制地方预算紧缩之权力否？而紧缩的标准，中央能有权力顾问否？预算没法紧缩，苛杂如何能裁，纵令今日能废一捐，结果必然是明日又增一税。一废一增，人民固又何择？其他的几种抵补，亦属杯水车薪，像烟酒牌照税那样，每年实收尚不满一千万元；至于印花税之协拨更系提成分拨，而非指全部之税收（全部亦不过千万元而已）；他如司法费之设法划归中央，每年亦不过仅能节省二千四五百万元。合以上三者之抵补，纵令皆能如数达到目的，亦不过三四千万元，以三四千万元想来弥补数万种之苛杂，事实上已不可能，何况司法费减轻负担，既难可能，而印花税又不能全部取以抵补呢？

废除苛杂原定在廿三年以内实现，然而以最后一条但书的关系，至今两年以来，还只能实现了一部分，目前各省先后通告废除者，计五千种，共五千万元，以全国人民平均，每人仅能免担苛杂一角，而这个数目，又还不甚可靠。譬如廿三年山西省呈报废除苛杂六百余万元，实则只是把各县总支出一千余万元中减去了这个数目而已[1]，你想，向来一千余万的支出，突然就能降为四百万元吗？又如江苏那样，廿三年呈报废除苛杂三百余万元，但廿三年度的各县预算，却比廿二年度多了七百万元，这样，我们能称为废除苛捐杂税吗[2]？同时，假若把目前已称废除的苛杂看一看，不是税收极少的苛杂，便是一些向来由豪绅或上层阶级所认缴的租税（如殷富捐，筵席捐，烟酒捐）这样的废杂，不仅说明了毫无意义而十足的暴露了中国地方财政之封建性。不仅这样，最近两年来，废杂的景象，虽已弥漫全国，无如废者自废，而征者自征，例如河北已废之首批苛杂，东光等县依然征收如常，毫不理会（廿四年五月二十六日

[1] 参照罗雨冬：《廿三年各省市减免赋税之检讨》（廿四年三月十一日《益世报》）。

[2] 同上注。

《益世报》)。竟甚至还有旧税尚未废除，而又纷创新税者，譬如福建各县，于廿四年后，纷纷借口建设教育筹费为名，创设新捐，该省捐税监理委员会，接受民众之呈请，已达数百余起(廿四年五月十一日《福建民报》)。从第二次财政会议后，据报章之记载，各省加税之情形如下：浙各县加征屋捐商铺捐；同省嘉善新征保卫茶碗捐(以上廿三年七月)[1]；粤桂闽对卷烟业抽加一救国捐；松江征茶捐；成都加绸绉捐；川军征感情捐；汕头花捐附加二成；浙江加征屠宰附税(以上同年八月)[2]；河间县收花果过路捐；福州征省防筑堡经费；包头营业税酌征二成至五成；南京征弹压捐(以上同年九月)[3]；绥远加重斗捐(以上同年十月)[4]；北平征筵席捐；四川内江征枪弹费(以上同年十一月)[5]；四川彭县征难民捐

[1] 廿三年七月十五日河南《民报》及七月五日《晨报》。

[2] 廿三年八月十三日《申报》；八月二十七日《新闻报》；八月九日《重庆商务日报》；八月二十七日外论社新闻稿；八月十二日《益世报》及八月十九日《东南日报》。

[3] 廿三年九月十五日《大公报》；九月二十七日福州《民国日报》；九月七日《包头日报》及九月二十四日《京报》。

[4] 廿三年十月一日绥远《民国日报》。

[5] 廿三年十一月二日《大公报》及十一月四日重庆《商务日报》。

及公益捐；川二十九军对盐斤附加剿赤费（以上同年十二月）[1]；浙江金华征住户商铺捐；川资中加征肉税；泸县、大足筹难民捐（以上廿四年一月）[2]；涿鹿征歇业费；平湖征迷信消耗捐（以上同年二月）[3]；皖加营业税二成；川省改一税制（以上同年三月）[4]；浙江开征寺僧殷富特捐；永康增加烟酒税；赣增加盐捐；湘行新牙税；浙吴兴等四县增征屠宰税（以上同年四月）[5]；鲁增加契税（以上同年六月）[6]；邢台增营业税及加增三厘牙捐（以上同年七月）[7]；无锡征小麦临时营业税（以上同年八月）[8]；潮、汕征豆饼捐（以上同年九月）[9]；芦台加

[1] 廿三年十二月二十一日《巴县日报》，及十二月十九日同报。

[2] 廿四年一月二十一日《东南日报》；一月七日《巴县日报》及《重庆商务日报》。

[3] 廿四年二月十四日《大公报》及二月二十二日《东南日报》。

[4] 廿四年三月二十七日《益世报》及三月二十六日《大公报》。

[5] 廿四年四月十六日《申报》；四月二十七日《新闻报》；四月十六日《东南日报》；四月三日北平《益世报》；四月三日北平《晨报》；及四月十七日《申报》。

[6] 廿四年六月二十七日北平《晨报》。

[7] 廿四年七月六日《大公报》。

[8] 廿四年八月三十日上海《晨报》。

[9] 廿四年九月十日《申报》。

派警捐；苏州救灾加征房捐一月；闽征迷信特捐（以上同年十月）[1]；番禺抽收租捐；福建漳属开征米捐（以上同年十二月）[2]；粤南海收寮灶租捐；闽征烟丝特税（以上廿五年四月）[3]。像这样继续不断的到处增税，不正是说明了废除苛杂的决议案，毫无意义吗？

关于地赋之附加，照会议议决案及廿三年六月十一日国府所颁的永不加赋令看，不但附税是不得超过正税一倍，而且，自廿三年以后还永远不得再以任何名目增加附税了。然而会议后事实上之所表现者，完全不然，这里，最显著的例子，如浙江田赋附加中最大的"建设特捐"，虽曾由民众各方呈请免征，但省府不仅不予豁免，而且还在呈请财部，要求将该捐划出于田赋附加之外，以便再有机增税，而不超过"附达正一倍"之限度。在浙江《核减田赋附加案》中关于建设特捐的辩解如次：

田赋附加，遵照部颁章程，不得超过原有

[1] 廿四年十月二十三日北平《晨报》；十月二十一日《新闻报》及十月七日《大公报》。

[2] 廿四年十二月二十八日《七十二行商报》及十二月十八日《申报》。

[3] 廿五年四月三日《七十二行商报》及四月二十三日《申报》。

正税之一倍。依此标准，如将建设特捐计算在内，则如上期田赋，建设特捐占附加税五五点六％，建设附捐占八点三％，征收经费占九％，所除不足三〇％；下期田赋建设特捐占三〇点三％，建设附捐占九点一％，征收经费占三点七％，所余为五六点九％，以之支配地方教育，公安，建设，自治，慈善各种事业，经费实属不敷。建设特捐，关系本省债务基金，非俟债务一案清了以后，殊属无法减免，而县地方各种事业必需之经费，不能不兼筹并顾，查建设特捐，有一定之征收期限，并非永久之负担，拟重申明令，一俟债务一案清了，即行豁免，自后政府决不续征，并禁变更附加名目类似此项性质之捐税。为维持县地方事业起见，姑准各县于计算田赋附加总额时，剔除建设特捐一项上期田赋之五五点六％，下期田赋之三〇点三，免予计算在内，依此标准，以不超过正税一倍为止。

这一个办法，显然与前面整理地赋的方案，完全立于正相反的地位，其后，财部虽明令不能除外，然而，效果依旧毫无[1]。至于永不加赋的命令，地方当局又何曾实行？事实摆在我们面前，江苏泰县因导淮用款，未经省厅核示，已擅征亩捐，其后人民连递三呈，时逾三月，迄未批复，而人民遵缴如故（廿四年一月十四日《申报》）；又江苏奉贤等县，补征农民银行基金亩捐，而省府还咨复财部，认为毋庸制止（廿四年六月二十日《申报》）；湖南浏阳各乡，自廿四年度起，每正供一元，加征附加洋四角（廿四年三月十五日湖南《民国日报》）；山东因黄灾惨重，需款救济，已经行政院准予将被灾各县应征田赋，于正税四元以外，带征三角，为期一年（廿四年十月九日北平《晨报》）。凡此种种，又不都是说明了永不加赋令是一个具文吗？

总上所论，可知第二次全国财政会议，名义上虽为整理地方财政，实则是毫无补于地方财政，而地方财政之混乱与黑暗，依然是故态未变。

[1] 参照庄强华：《近年限制田赋附加之回顾》（《地政月刊》四卷二三期合刊）。

附　录

最近中国财政之分析

去年十一月四日币制实施改革以后，接着当局便发了一个宣言，说新币制实施十八个月以后，中国财政收支便可平衡。这个宣言的颁发，显然就是说明着新币制的实施与中央财政是有着不可分的联系。因此一般留心财政问题的人，自后不仅要注意到财政事态本身的变动，同时又必须深深的注意到新币制之动态了。在这里，我们假若把那当局的宣言，作为一个逻辑的大前提，那么，新币制不实施，当然中国财政在十八个月以后不能平衡，或者实施而失败，中国财政在十八个月以后也不能平衡。这推论是否是错误，那就要看大前提是否是错误。在另一方面，新币制与中国中央财政，既有如是密切之关系，当然财政本身事态之如何，也足以影响新币制的效果的。

于是，人们对于中国经济前途的观察，也便发生了两大相反的心理。第一种人是把新币制评价得很高的，认为新币制实施以后，中国的贸易，中国的购买力，中国经济的一切，都会大趋繁荣，财政收支自然也会平衡了。这一类人，可以给它一个名词，称“新币制之乐观派”。第二种人却相反的重视于中国财政的不健全性，认为在不改善目前的财政本质以前，收支是无法平衡的，而新币制之所能使财政平衡者，只在于通货膨胀可能的一点上，因此这一派人是“新币制之悲观派”。对于新币制乐观的，显然也就是对于中国财政抱乐观的；同样，对于新币制悲观的，当然也就是对于中国财政的悲观论者。

从币制改革到今日，差不多将近十二个月了，距离宣言中十八个月的约期，只有半个年头了。在那过去的三分之二的约期中，虽不曾看到表面上的通货膨胀，但也不曾看到中央财政显然的转好。九月六日孔财长对新闻记者曾经谈过最近中央财政的情形，据说去年度财政不敷达二万万元，幸本开源节流之原则，竭力维持，并整理税收，节省各项经费，而得安渡难关。本年度以两广统一，国家信用更臻巩固，又以农产丰收，走私势戢，金融安定，加之所得税开始征收，中央财政，稍假时日，定能趋于平衡（见九月七日《时事新报》）。在这个谈话中明白的透露出了中央财政前途，似乎大有可为，于是一般乐观论者，更感到他们的理论是有事实的表现了。不过，前面那些财政好转的报告，到底还不过是一种口头的传布，因此，中国财政是好转乎？抑恶化乎？尚不能不有待于今后六个月约期中的事实来说明。但人类间的一切，是受着因果法则所支配的，未来的事实如何，虽不能像预言家那样下一个肯定的断言，然而多少也可以由过去的因，推想出一些来，推想错误不错误，那就靠未来的事实来对照。

在这里，就开始推论中国财政之前途，检讨那两种对中国财政不同的理论。

* * *

说到近几年来中国财政上最明显的危机，无论谁都会指出那收支不能平衡的一个现象来罢。据政府的公表数字，从民国十七年度以降，每年岁入不足的数字，常在一万万元左右。有决算的几年中（从十七——廿二年度），以廿二年度的一万四千七百万元为最大不足额，不足之数，约占支出额的一九点二%。其后的廿三，廿四两年度，虽尚无正式的决算数字，但不足也依然在一万万元以上。这种财政上收支的不能平衡，虽然是一种近代带有世界性的流行病态，似乎无足称奇，但对于中国这样贫弱的国民经济而言，其严重性当不能与他国同日而语。过去十年来年年一万万元以上的短绌额，差不多完全以公债政策弥补了过去。这种公债政策，到今年二月的强制掉换统一公债时，已觉得它前途的希望已少（按自廿四年七月以后，每月内债偿还之基金，即已不足四百万元），退一步言，即令公债政策在今日之中国，尚有消化力量，但那样年复一年的不平衡下去，积重难返，也总有一日是要碰壁的。因此，在目前而言调整中国财政，谁都会觉得是应该先由平衡收支入手，所以去年币制改革的当时，也就提出了十八个月后收支得以平衡的约言，而使大家能对币制改革发生浓厚的同情。

币制改革十八个月以后，中国财政是否真能收支平衡，这我在前面已经说过，现在还很难讲，但就眼前横置着的财政状况看来，这约言的实践，决不是一件怎样容易的事。廿四年度现在已过去了，我们暂时不去管它，即就七月一日开始的廿五年度财政预算来研究，我们却发见了它不但收支不能平衡，甚至其不平衡的数字，已现出了新的最高纪录。廿五年度岁出入经临合计，各为九万九千零七十万元（这是中国有预算以来的最高数额），在表面上虽然保持着了平衡，但实则我们把岁入的内容来仔细检查一下，就知道这里面有二万万元以上是借款与虚列的收入。我们把最近三年来预算中租税外的收入，可列如次表：（单位千元）

	廿三年度	廿四年度	廿五年度
国有财产收入	5,545	8,847	5,712
国有事业收入	21,304	20,855	21,201
国有行政收入	12,517	10,931	10,901
国有营业纯益	8,350	40,269	41,398
协款收入	6,588	3,768	3,198
借款收入	50,000	70,000	125,000
杂项收入	82,266	116,832	103,142
合计	187,570	271,503	310,832

从这个表里，可以看出历年来我国财政上租税外收入是在如何突飞猛进了，但这数字却是不可信的。最

容易看出来的，就是国有营业纯益一项，在极短的一二年中，居然已由八百万元增为四千万元以上了（五倍以上），这是含有若干夸大性的（详见后）。此外，像国有财产收入及杂项收支的两项，廿四年度数字虽较廿三年度增加，而廿五年度却已较廿四年度减少了，这正是表示出了过去虚列得太多，而如今不能不减少些了。在大体上看，廿五年度各项租税外的收入，都比上年度减少些，但总数却比上年度增加了四千万元，这就因为借款收入一项多了五千五百万元之故。据某种的统计，去年度中央财政的不足数达一万七千万元，那么，我们可以推想出廿五年度的不足数当在二万二千万元以上（据立法委员陈长蘅氏报告，不足为二万万元左右）。在眼巴巴望着六个月后（满十八个月）财政收支可以平衡的人们，看见了这样一个历来未见的大不足额，也许会觉着嗒然的吧。

*　　　*　　　*

中国财政上历来收支的不能平衡，差不多与各国的情形仿佛，是由于军债两费过度膨胀所造成，但最近二三年来的不足额，却还更包藏了一个新的因素，就是税收的减少——这里当然以关税的减少为最显著。

最近三年来预算中的租税收入，廿三年度为七万三千一百万元，廿四年度为六万九千六百万元，较上年度已减少三千五百万元，到最近的廿五年度，租税收入共计为六万八千万元，较上年度又减少了一千六百万元，较前年度已减少了五千一百万元。这个数字，还是冠冕堂皇的预算假定，在实际上也许比这个更减少得利害。举一个例来说，譬如廿二年度的租税预决算数字，其相差就如次表：（单位千元）

	预算数	决算数（据财政报告）	实收数与预算数之差额（+为较预算多 - 为较预算少）
关税	354,657	351,399	-3,258
盐税	146,748	177,376	+30,628
统税	92,975	104,978	+12,003
烟酒税	23,545	13,074	-10,471
印花税	12,940	8,379	-4,562
矿税	2,683	1,620	-1,063
交易所税	140	25	-115
银行税	1,600	1,517	-83

在这里，除盐统二税以外，全部都比预算数为减少。在中国的财政收入上，向来以关税为最重要，但这几年来却在一直线的降下，据廿四年的《海关年刊》的统计，

最近五年来的关税收入，年年都在减少，廿四年度仅收三万一千五百万元，比较民国二十年时的数字，已减少了七千万元。这种关税的减少，一方面固然由于年来进口货减少之故，另一方面却是由于走私渐趋旺盛之故。据本月初新闻的报道，从去年八月以来，单仅华北一地，因走私所受关税之损失，即达九千万元之谱。至于盐税一项，年来因努力增高税率与改换衡制（改司马秤为市秤，约差二〇%）的结果，反在逐年增加之中；民国廿四年全年盐税收入为一万八千四百万元，比较五年前的民国二十年数字，已增一千四百万元。至于统税一项，因税率的加增与货物种类的加多，也在增加之中；计民国廿四年的收数为一万一千六百万元，比较民国二十年已增三千六百万元。因此，最近五年来关盐统三大税收的变化，是得不偿失，盐统两税合计不过增加了五千万元，而关税一项却已减少了七千万元。

时至今日，外来的压迫愈益严重，关税恐怕还要更加减少收入，至于盐税，大致也不会再增，年来南北盐民之暴动以及抢盐风潮之澎湃，都是表明着盐税负担已至极大限度。而且过去盐税增加的还有一个原因，并不是人民实际真正消费那么多的盐，而是盐场催促尽量把盐运出去，同时便就运出去的盐征税的结果。因此过去的盐税增加，一部分是含有“寅吃卯粮”的性质的。只有统税一项，比较还有前途，中央政府的统一愈趋完成，当然统税也愈趋增加，但要以增加的统税来弥补关税的减少，这在事实上是绝对不可能的。前面我们所举出来的那个廿二年度的税收例子中，大部分租税的实收数，虽然都比预算数来得少，但幸而因为盐统两税有一个大量的增加，因此，实际税收的合计额，总算还超过了预算合计数。但如今的情形不同了：最近的廿五年度中，关税无论如何都还要减少（在走私无法杜绝的情形下，关税的减少当不成问题，即令走私势戢，恐怕税率的减低也已是不可避免，这样，当然也将使关税减少收入吧）；盐税则已入停顿状态，再也不能像廿二年度那样，会增加于预算数字以上；其他统税以外的各种税收，其减少更是意料中事。在这里，只有统税与所得税两项，比较尚不至与预算太差，然而两者合计，年收也不过只有一万三千七百八十万元而已。

这种租税收入的渐减倾向，当局并不是不知道的，因此，廿五年度税收的预算已比前两年度要减少了数千万元。但廿五年度税收预算虽然减少，无如廿五年度的支出，却是一个空前的大额，因此，为求收支预算表面上的适合起见，才故意的政策的把租税外的收入虚列一下（见前列表）。譬如国有营业纯益一项，大部分就是中央银行的盈余及各项官股的利益而已，像去年度那样，中央银行虽因白银国有而得着了庞大的利益，但这个到底是临时性质的。在没有继续新创国营事业的前提下，要年年的国有营业纯益都有去年那样的数字，绝对是困难的。本来在廿五年度预算草案中，这项纯益已较前年度少列二千八百余万元，然而，为求收支的表面适合，依然列着四千一百三十九万余元。

* * *

由上所述，我们对于最近廿五年度预算的岁入方面看，已发见了它的三大缺陷：第一是租税收入的减少；第二是其他收入的虚列；第三是债款收入的加大。单就这三点看，已很足以说明最近财政是有些不很容易平衡了，尤其像债款收入的增多，更不仅是表示最近财政不能平衡，而且还暗示着本来也有些难以平衡。因为目前债款的加多，就是暗示着未来债务费支出的加大。又何况近年中国发债条件非常苛刻，譬如内债的发行，从民十六到廿二年，共发行十一万四千万元，而政府实收只有六万五千万元左右，约为五折七扣。这样一种不当的发行，不仅使大部分国民受不当的损失，而且是“作茧自缚”的使财政永远不易平衡。过去发行了十余万万元的公债，而到本年二月以前，中央财政每月尚须不敷二千四百万至二千七百万元之谱。这正是说明公债政策的调整财政不平衡，是一件如何“不揣其本而齐其末”的措置了。

中央在这样财政极度困难之中，开始了一个新的平衡策略。这就是本年二月的强制掉换公债，把过去发行的三十一种公债，掉换成了五种统一公债，合计十四万六千万元，平均延长十年的偿还期间。这样使每年支出的债务费减少一些，同时，腾出一部分基金来发新公债，这主要的新公债就是三万四千万元的复兴公债。而廿五年度预算中债款收入之所以比前两年度为增加者，也就是因为发债基金比较有着落之故。本年所发的复兴公债，原说是用于生产事业及完成法币政策的，但据新闻的报道说："此项公债不在市面流通，亦不在证券市场公开出售，其大部分存于中央中国交通三行，作为保证，准备发行钞票。中央过去六个月，已向银行透支一万五千万元，最近六个月至少仍需款一万五千万元，合计三万万元。但复兴公债照票面九八折发行，计共约三万一千万元，偿还银行透支后，仅足半年之用。"（三月十六日北平《晨报》）这样可知以公债来平衡收支的政策，政府还不想放弃。

本年二月公债整理以后，每年公债本利的偿付，在最初一二年中，可以比较整理前的数字，约减四〇%左右。这减少的四〇%的基金，充其量不过尚有六七万万元公债可发，如今复兴公债已发了三万万元以上，加上廿五年度预算中借款收入的一万五千万元（实际上一定不止此数），到了明年，恐怕公债又难以再发了吧。那么，公债政策又将如何去运用呢。

* * *

从中国的岁入上而论，财政的不能平衡，似乎已成为了一种不治之癌。在这里，要把这癌能除出，不外只有两种手段，一种是从岁入上想法，把渐减倾向的租税收入，能够转变为渐增；还有一种，就是从岁出方面，看有没有办法节流。假若这两种手段都归失败，那么，中国财政经济的前途，也就非常悲观了。

这里，先讨论岁入方面改良的可能性。

在我们前面那些就财政以论财政的叙述中，租税收入的情形，实在是每况愈下，今后要想改变这种情形，当然应该是先从改善租税的根源——国民经济——入手。一般对于法币政策抱着乐观的人们，他们以为要改善租税的根源，法币政策可以负起这个责任来的。他们以为法币政策实施以后，中国的币值已有二五％左右的降低，这币值贬低的结果，物价可以抬高。于是中国大部分的农民，可以因物价的抬高，而使他们的农产品，卖得起钱，结果使他们的购买力也得以加大了。另一方面因为中国币值减低的结果，外来的洋货可以减少输入，民族工业得以乘机勃兴，工商阶级的繁荣，指日可待，又中国的出口货物，也可以因币值减低而趋旺盛。这种种币值减低后的效果，可以使整个中国的国民经济繁荣，从而使税收可以渐增，而财政收支的不平衡，亦可迎刃而解。

这些理论是否全属事实，我们姑置不论。但这里显然就发生了一个矛盾，这就是洋货入口纵令能因币值贬低而减少，那么，关税的收入当然也因而减少，试问建筑在关税基础上的中国财政，还有办法没有？许多的国债将无法抵偿，收支将如何平衡？至于说洋货减少入口而民族工业可以兴旺，这也是事实上所不可能的，因为国际间资金的流动，是向着币值落下的国家跑的。各国货物的输入纵令减少，外资的流入恐将增加，于是运用其在华就地设厂之权利，猛力进攻，到那时候，民族工业不仅不会兴盛，恐将无有噍类。有许多人，最近拿着中央银行所编生产指数的向上（廿四年平均为一〇二点一，本年六月为一〇五点七），来证明工业的繁荣。这种论调是绝对错误的。要知道中央银行的生产指数，是根据统税署的材料来编制的，因此，它里面大部分是外商厂家的生产，而不是所谓民族工业。具体的把各种生产指数分析起来看，更可以知道指数涨得最高的是啤酒（廿四年平均为一〇一点一，本年六月为二一三点九），计上涨一一二点八%，指数不但不涨而反下降的是麦粉（廿四年平均为一一三点五，本年六月为八二点四），计下降三一点一%。这就因为啤酒大部分是外商，而麦粉差不多是华商。这样生产指数又何尝告诉我们民族工业是旺盛呢?

而且在事实上，中国的进口货大概都是些必需品，币值减低也不一定可以杜绝其输入的。关于这一点，最近也有人在指出，说本年六个月来入口仅四万六千万元，比去年同期减一五点九%，出口为三万三千万元，比去年同期增加二八点三%，因此说法币政策是奏效了。但这样机械的应用统计数字，是非常危险的。年来华北数万万元的走私，难道我们因为它不入统计，而就可以不认为是中国的输入货吗?至于出口货的加增，我们也应该把它的内容来分析一下的，大概是些中国特产的军需原料品，或者是一些海外市场上突然增加了需要的商品，很少是由于币值减低的关系的。

最后，我们要检讨一下法币政策对于农村的有利程度是如何。法币政策乐观者，以为对于农村第一个好的结果，是可以使农产物价抬高。这一点，确是不能否认，下面就是币制改革前后的几种农产物指数的比较：

	廿四年九月	廿五年九月
上海农产物批发物价指数	72.27	88.57（七月）
上海输出农产物价指数	74.50	111.20
上海输入农产物价指数	111.10	137.20

从这个指数看来，农产物价格的确是上涨了，但这些毕竟只是个都市中的价格，比较农村中的出售价格，要高出许多。据中央农业试验所的调查，譬如浙江各县生产地与消费地的米价相差，就常在二元之谱。其余交通更不方便的内地，其差额当然更大。因此，都市农产品百分之二十余的上涨，所影响及于农村的农产物价，恐怕是微不足道了。而且我们还更可注意的，就是农产品物价输入指数，尚远在输出物价指数以上。此外，输入物价指数中的生产品消费品的指数，大致也与农产品呈同一之倾向。所以，农民在农产物价涨上得到的好处，大致都已与其消费品价腾上所受的损失相杀，很难讲有如何改善。

从这些分析的结果，可知法币政策所能改善国民经济的力量，决不能把它有一个过大的评价。最近国民经济既难有显著的改善之希望，那么，财政上租税的收入，不但不能有增大的希望，恐怕税收渐减之倾向，也是很难以阻止的吧。

*　　　　*　　　　*

其次，我们从财政支出方面来看一看。

在廿五年度的支出预算中，占着万万元以上的大支出，有军务费、债务费与补助费的三种，军费为三万二千二百余万元，债务费为二万三千九百余万元，补助费为一万零六百余万元，这三者合计，已占总支出六七点三%，而其余党务国务等费，实在都不过是极小的数字而已。因此要谈节流，首先就应该集中目光到军、债、补的三种经费，研究其是否有减少的可能。

关于军务费，我先得把中国军务费的一点特质指出来。这就是中国军务的消费，大部分费于军队的给养，而很少有用于军器之设备的。目前中国有多少兵，详细不甚知道，大概决不下二百万人，假定每兵每月饷银为十元，全年即须军饷二万四千万元，加以军官的俸给，统计官兵的给养就须三万万元左右。因此每年三万二千余万元的军务费，事实上只能充给养费用而已，至于军器之购备，已经是毫无着落。在这里我想会有人要反问：

中国军队不也有飞机大炮吗？要解释这个疑问，我们就要指出，预算中军费虽然只有三万万元，实则在文化教育费与建设费中，也还包含着一部分军事性质费用；又一万万元以上的补助费，都是各省截留的国家收入，而其中一部分也是充地方军队用的。因此，军务费名义上虽仅三万万元，实则远在三万万元以上。中国目前军务费支出虽然是这样庞大，但军事上的物质设备是很贫乏的。因此，要军费节流，只能节省军士的给养费，然而要节省军士给养费，第一个前提要减少兵士人数，假若不裁兵而减给养费，为事实所不可能。然而，在目前中国的内外环境下，裁兵谈何容易。

关于债务费的支出，经过今年二月公债强制借换以后，大体上已比去年度减少了三千五百余万元。本来，在这种年头，赖债已是国际间普遍流行的手段，在中国目前这样财政困难的时候似乎也不妨暂缓支付，然而中国却“中流砥柱”似的做硬好汉。这种现象，自然也有其原因的，因为中国在财政的见地上所赖于内外债的帮助之处正多，所以对于债信的维持上，不能不付以很大的代价。

至于大支出第三种的补助费，我在前面已经说过是由各省截留国家收入所构成，而非中央真正的一种支出，因此节流就根本谈不到。不仅这样，年来各省的地方财政，事实上较中央尤为困难，因此，各省截留国税的现象，恐怕还要更显著，而补助费项目中的数字，当然也怕会随之而更增加吧。

这样三件大的经费都不能节约，那么，其他数百万元数千万元即构成一项支出的款目，当然更难以减了，纵令能减，所减又无补于事的。

综上所论，最近将来中国的财政上，二万万元以上的不足额，是已经确定无疑的了。在财政的支出上，不但目前，即令将来，也是无法节约而求平衡的；至于税收方面，恐怕也只会减少。在这种情形之下，我们只能虔诚的希望当局，能够从速的有一个更善良的策划出来，不必一定固持着十八个月后财政得以平衡的约言。因为照目前的现状，假若一定要靠法币政策来平衡财政收支，除掉通货膨胀一策以外，已无别法了。然而通货膨胀毕竟是危险的。“学者”们的“有限制通货膨胀”说，完全是口头纸上的胡诌，以通货膨胀来平衡财政收支，而尚能有限制，这是人间之奇迹了。

最后，还有些说明，目前之财政，实已至于十分困难之地步，倘若政府不能早日有一个理财之新方策，那么，纵令政府不打算拿法币政策来平衡财政收支，但财政收支的不平衡，恐怕也会不得已而影响法币政策的，亦即不得已而只有走入于通货膨胀这条路的。因为法币政策实行以后，纸币发行已具有了极大的伸缩性，根据“抗力最小之原则”，政府平衡财政的时候，与其走吃力多而效果小的增税公债政策，往往容易就采用纸币政策，又何况目前中国财政上，增税既不可能，公债发行亦有限度呢。

三联经典文库第二辑简目

《游击战教程》　明凡 / 著

《游击战术纲要》　陶剑青 / 编著

《汪精卫卖国的理论与实践》　钱俊瑞 / 著

《抗战以来》　韬奋 / 著

《陕行纪实》　楚云 / 著

《随军散记》　沙汀 / 著

《被日寇囚系半载记》　王研石 / 著

《倭营历险记》　房沧浪 / 著

《活跃的新西北》　田影 / 编著

《保卫华北的游击战》　刘清扬　陈北鸥等 / 著

《徐州突围》　《徐州突围》编委会 / 编

《沦亡的平津》　长江　小方等 / 著

《淞沪火线上》　胡兰畦等 / 著

《瞻回东战场》　长江　罗平 / 著

《东线的撤退》　胡兰畦等 / 著

《抗战中的西北》　徐盈 / 著

《鲁闽风云》　徐盈等 / 著

《西线生活》　西北战地服务团集体创作

《中国解放区见闻》　［美］福尔曼著 / 朱进译

《全面抗战论》　潘汉年 / 著

《日本的间谍》　范士白自述 / 尊闻译

《日本大陆政策的真面目》　国难资料编辑社 / 编

《民众动员论》　李公朴 / 著

《中国外交史》　钱亦石 / 编著

《太平洋军事地理》　蒋震华 / 著

《世界经济地理讲话》　思慕 / 著

《列强军力论》　［德］马克斯·威纳尔著 / 宾符　仲持　梅益等译

《近代国际关系史》　张铁生 / 著

《太平洋现势手册》　沈志远　石啸冲 / 编著

《近代世界政治史》　钱亦石 / 著

《从战争到和平——一九四五年的世界政治》　乔木 / 著

《战后日本问题》　思慕 / 著

《最近一年间的国际动态（1946.7–1947.6）》　《东北日报》社 / 编

《论政党》　翟放 / 著

《法与宪法》　韩幽桐 / 编著

《中华民国宪法刍议》　罗家衡 / 著

《民主·宪法·人权——作之民》　费孝通 / 著

《宪法论初步》　潘念之 / 著

《对反民主的抗争》　韬奋 / 著

《农村改进的理论与实际》　江恒源 / 著

《上海产业与上海职工》(上下)　　朱邦兴　胡林阁　徐声 / 合编

《陶行知教育论文选辑》　　陶行知著 / 方与严编

《中国通货膨胀论》　　杨培新 / 著

《中国及其未完成的革命》　　H·普拉特著 / 蒋天佐译

《中国的建设问题与人的训练》　　卢作孚 / 著

《论中国特殊性及其他》　　艾思奇 / 著

《中国经济问题讲话》　　钱俊瑞　徐雪寒　王渔邨　姜君辰　骆耕漠 / 合著

《中国经济的道路》　　许涤新 / 著

《中国财政之病态及其批判》　　孙怀仁 / 著

《官僚资本论》　　许涤新 / 著

《五四运动之史的评价》　　陈端志 / 著

《中国通史简编》(上下)　　中国历史研究会　范文澜 / 主编

《论文学的工农兵方向——读〈在延安文艺座谈会上的讲话〉》　雪苇 / 著

《中国近代史(上编　第一分册)》　　武波 / 编著

《文学百题》　　傅东华 / 编

《中国史学之进化》　　周谷城 / 著

《论民族形式问题》　　胡风 / 著

《论批评》　　荃麟等 / 著

《中国史纲》(第一卷上下、第二卷上下)　　翦伯赞 / 著

《近代中国思想学说史》(1–4)　　侯外庐 / 著

《中国政治思想史》（上下）　吕振羽 / 著

《中国哲学史纲要》　向林冰 / 著

《中国政治史讲话》　钱亦石 / 著

《中国社会经济史纲》　王渔邨 / 著

《新财政学大纲》　千家驹 / 著

《太平天国革命运动论文集——金田起义百周年纪念》

华北大学历史研究室 / 编

《理性与自由——文化思想批评论文集》　胡绳 / 著

《战斗者的诗人》　黄药眠 / 著

《国语文法》　曹朴 / 著

《教育哲学》　张栗原 / 著

《妇女问题讲话》　杜君慧 / 著

《婚姻 · 子女 · 继承》　沙千里 / 著

《性教育新论》　布士克　雅各生合著 / 董秋斯译

《狱中杂感》　杜重远 / 著

《七人之狱》　沙千里 / 著

《爱迪生传》　伍况甫 / 译

《歌德自传》（上下）　歌德著 / 思慕译

《尼赫鲁自传》　［印度］尼赫鲁著 / 毕来译

《列宁传》　［苏］凯尔任采夫著 / 企程　朔望译

《罗斯福总统传》　C．Mackenzie 著 / 张尚之译

《托尔斯泰传》（1–3）　［英］阿尔麦 · 莫德著 / 徐迟译

《革命文豪高尔基》 ［美］亚历山大·康恩著 / 韬奋编译

《鲁迅纪念特辑》 新中国文艺社 / 编

《回忆鲁迅先生》 萧红 / 著

《人民文豪鲁迅》 平心 / 著

《亡友鲁迅印象记》 许寿裳 / 著

《鲁迅思想研究》 何干之 / 著

《鲁迅研究》 夏征农 / 编

《过来的时代：鲁迅论及其他》 雪峰 / 著

《电影戏剧表演术》 洪深 / 著

《日常心理漫谈》 ［美］约瑟夫·查斯特罗著 / 曾宝施译

《心理常识漫话》 朱智贤 杨云美 / 著

《读书的方法与经验》 王任叔 / 著

《美国黑人生活纪实》 ［美］加德维尔 斯坦倍克著 / 董秋斯译

《初访美国》 费孝通 / 著

《事业与成功》 ［美］马尔腾著 / 汪原放译

《萍踪寄语（初集）》 韬奋 / 著

《一生的幸福前途——〈生活周刊〉信箱选集》 生活书店 / 编选

《深刻的印象》 生活周刊社 / 编

《海外的感受》 生活书店编译所 / 编